我城存歿

張燦輝◎著

強權之下思索自由

目　錄

PART 1 ──中大危機

PART 4 ——自由與法治

PART 5 ——附錄：青年哲學家筆記 | 劉況

圖片清單

本書照片均由作者張燦輝攝影，取景地點如下：

1. 南極，頁21
2. 香港中文大學，頁55
3. 南極，頁91
4. 香港中文大學「百萬大道」，頁169
5. 香港中環，頁249

彩色照片圖檔 QRCode

1. 南極　　　　3. 南極

封面印章篆刻：張燦輝

我城存歿

台灣版前言

　　富貴福澤，將厚吾之生也；貧賤憂戚，庸玉汝於成也。存，吾順事；歿，吾寧也。

　　多年前戲寫了張載〈西銘〉最後幾句，掛在家牆上，自勉之。本以為到了耄年，退休之後應該多陪家人，玩孫為樂；多讀書，攝相奏刀刻章，飲酒聽音樂；與妻和好友旅遊天下。晚境便可逍遙渡過。「存，吾順事；歿，吾寧也。」我不懼死亡，在世日子活夠了，便可安寧離世。

　　但是2019年從4月開始，香港發生了前所未見的大改變。和諧、繁榮、安全、自由、法治的我城，一步一步在我們眼前消失了，一年多的反修例運動，登報文宣抗議，兩次以百萬計香港市民遊行示威，政府沒有正面積極回應市民合理要求，沒有回答任何理性質詢，反之用公權力鎮壓，引起無數警民衝突，暴力引發更多暴力。全城陷落崩潰危機之中，到了2020年7月1號國安法的強壓確立，「一國兩制」的香港宣布壽終正寢。對這年翻天覆地的改變，誰能不痛心疾首！

　　2019年11月12日中文大學的衝突，超過兩千枚催淚彈在校園爆發，我學習、教學、生活了差不多半世紀的母校變成戰場，令我悲憤莫名！

　　我這個退休大學哲學教授能夠做什麼？集體和理非抗爭行動參與無數次，一點成效也看不到！但是，除了以筆發聲之外，書生還可以做什麼？趁思想、學術和言論自由還未全面扼殺之前，對當前局勢寫些分析反省文章似乎是可以、也應該做的事。

　　我不懂得寫政論文章。業師勞思光先生在世之時除了學術著作之外，寫了無數政論時評，作為公共知識分子，從不屈服於權貴，對大陸、台灣、香港政權尖銳批評。他當然是我們的典範。同時也常強調哲學不是語言遊戲，不只存在於課堂和學術研討會議中，而是在此世界上的生活實踐。老師的教誨，永記於心。

　　2014年雨傘運動時，曾和我妻嘉華到金鐘探訪陳健民兄。當時他對我說，知識分子要以筆作劍，請我多寫文章。嘉華同意亦敦促我撰文發聲。但我唯唯諾諾，沒有實行，實有愧於心。但到了2019年11月母校中文大學被強暴鎮壓之後，悲憤心情難復，我執筆寫了第一篇文章給《立場新聞》，之後寫了不少文章，做了幾個訪問，到了2021年中，也有超過二十篇文章刊出。

　　在朋輩鼓勵之下，建議我結集文章訪問成書，以記過去一年多來之所思所寫。這些文章本來沒有想過成書出版，故不全是有系統的結構寫作，內容是有重複的，但整體是面對香港的「存」和「歿」的掙扎處境而寫的，是以書名為《我城存歿》。但這些不是政論時評文章，香港已有不少前輩和朋友比我寫得更好；同時也不是嚴格的學術著作，故沒有詳盡注釋。我是以念了一生哲學的書生，運用我所學所思反省分析當前生活世界而已。

　　本書香港第一版應在2021年6月香港刊出，以便於同年在書

展發售。但因種種政治考慮延遲到8月初才面世。這本只能在二樓書店發售的「禁」書，想不到半年不到，第一版便賣光。

第一版後記寫於2021年5月4日，那時仍然可以每天讀到《蘋果日報》、《立場新聞》、《眾新聞》和聽幾位網媒朋友評論政事，以為香港時局已經不能再差了，但似乎還有一點點空間讓公民社會表達所餘無幾的言論和思想自由。想不到更憤慨的事情接踵而來：四十七位追求民主自由的朋友因參加2020年初選而被無理拘捕，未審先扣押，至今仍未開審。之後隨著《蘋果日報》被迫結束營業，全部主編被拘捕；然後民間團體，民主派政黨被迫解散；電台、大學、網媒全被監管。獨裁政權在2021年最後幾天將僅餘下新聞自由的媒體《立場新聞》和《眾新聞》也取消了！即是説本書文章原本刊登的媒體已經不再存在。這本書不能存在於香港！再版已不可能。

可幸在現今漢語文化世界中，台灣是言論和出版自由的地方。左岸文化總編輯黃秀如女士垂青拙著，願意在台灣重新出版，我十分感謝。綜合港版內容和新加入的文章，新的台灣版大綱如下，全書分五部分：

第一部分是我對中大事件的反應，在香港電台發表了一篇〈香港家書〉，然後是在《立場新聞》的文章，並加上一篇《壹週刊》對我當時言論的訪問。

第二部分是五篇《珍言真語》的訪問。全是針對當時在香港發生的事宜的談話反應。刊出時是以訪問形式，但為了與書體例一致，故改寫為文章，把對話格式取掉。

第三部分是 2020 年 7 月國安法後的反思。香港的完結死亡帶來我們的不安與焦慮，故在《立場新聞》寫了一系列以「存在危機」為題的十篇文章。

第四部分是 2021 年 2 月 28 日四十七名泛民主派朋友，因參加 2020 年 7 月初選被捕引發的義憤所寫的文章。我以「自由與法治」為題，連續寫了六篇文章。跟上幾部分不同的是，文章除了發表我的意見外，同時比較詳盡的引述了好幾位思想家的原文，因為我希望透我的介紹，讀者可以從原文進一步理解重要思想。

第五部分是年輕朋友劉況博士的八篇相關文章。他留學法國，他的法國哲學背景文章能補充我論述的不足。

香港面對無比的打壓：思想、言論、學術和出版自由全面收窄，故此書能在此謹存空間，不經審查出版，誠屬不易。首先感謝香港電台讓我刊出〈香港家書〉，《壹週刊》和《珍言真語》答允我出版刊出過的訪問。感謝《立場新聞》一年多來刊我的文章。也要向年輕學者朋友劉況博士致謝，他的分析文章充實了這本小書。同時感謝我的學生大埔山人寫了幾篇對我文章的回應，也附在相關的文章後。

當然最重要的是感謝陳健民和蔡子強二位好朋友為拙著寫序言和鼓勵。鳴謝山道出版社願意刊出香港版。最後感謝左岸文化執行編輯劉佳奇女士為拙著悉心的工作。不用多說，沒有嘉華多年的敦促和照顧，我根本寫不到這些東西，在此向她表示由衷謝意。

從今年（2022）開始，香港全面淪亡。自由、法治、開放、

多元的公民社會全部消失了。Xianggang現在是：

謊言即真理

強權即民主

服從即自由

人治即法治

馬照跑，舞照跳，吃喝玩樂即太平盛世

封面的照片是我1997年9月中從香港啓德機場飛往上海的航班上所拍攝。二十五年前我們憧憬香港未來如何美好，而今民主自由的夢想已破碎，「香港」成為歷史名詞。台灣版定於2022年7月1日出版。這天是香港回歸大陸二十五週年紀念。「五十年不變」的謊話，過了一半便完全消失了。這也是警察當特首，掌權香港，「警權統治」（police state）正式啓動的第一天。

能不悲夫！

張燦輝

初序於英國聖奧爾本斯

2021年3月28日

後序於西班牙塞維利亞

2022年5月22日

[推薦序1]
在廢墟上重建意義
陳健民*

　　讀張燦輝的《我城存歿》，腦子裡會響起 to be or not to be 的問題。這不單是生存與毀滅的抉擇，而是要承擔道德責任還是苟且偷生的問題。引申的，是要在暴政下說真話、沉默或是指鹿為馬？在惡法和濫捕下，要勇於抗爭、袖手旁觀或是篤灰[1]自保？香港已失去自由和法治，我們應該與這個深愛的城市共浮沉，抑或在異鄉尋找心之安處，那怕是花果飄零？

　　張燦輝是哲學家，他傳道解惑不是靠提供讀者絕對的答案，而是提出重要的問題、釐清各種回答的進路，希望人們在困惑、掙扎、思考中重拾個體的自由，令拷問過程成為答案的一部分。沒有反思的人生不值得活下去，暴政卻不想人們思想，我們就更應該追問存在的問題。

　　書中提出一些當下香港最切膚的問題，譬如說我們應當憤怒

---

* 陳健民，曾任香港中文大學社會學系副教授，中大公民社會研究中心主任，2013年佔領中環運動發起人之一，2021年9月起擔任國立政治大學社會系任客座教授。

1 〔編按〕暗中指證罪魁禍首，有告密之意。

甚至仇恨嗎？報仇是否不道德？一些信徒因為受到基督教「含怒不可到日落」、「愛你的敵人」的教導，或者受儒家「以德報怨」的薰陶，叫不出「黑警死全家」的口號、更承受不了「裝修」和「獅鳥」[2]的暴戾。燦輝兄雖亦質疑私刑可能超越合理比例、引發不斷的互相報復，卻又指出憤怒可以保護我們的尊嚴、產生對抗不義的動力。他的立場類近亞里斯多德，認為一個人缺乏憤怒，就會變成冷漠；但如果過於憤怒，便會變成狂暴。

但怎樣做才合符中道？我認為難有絕對答案，怎樣才算合理的抗爭手段會隨著打壓的程度而變化，抗爭者必須不斷反思和檢討。哈姆雷特被害父親的鬼魂也只是向他說：「再見，永別，但記住我。」他要求王子直面人生的道德責任，但對於如何復仇，他不發一言。我們讀莎劇，知道哈姆雷特總在思前想後、喃喃自語、遲遲不能行動。最終一場海難，讓他走過生死，也讓他體驗生有涯，理性掙扎和沉溺虛無亦應有期。隨著混沌過後的清明而來的，是復仇的勇氣，如此書所引尼采之言：「一個知道自己為什麼而活的人，幾乎可以承受任何一種生活。」勇敢來自行動的意義。

也因如此，暴政要消滅抗爭的勇氣，除了製造恐懼，便是要徹底摧毀人們的價值系統，讓社會行動失去意義。當權者滿口仁義道德，實質在鼓勵金錢至上、盲從懦弱、犬儒虛無的庸俗思維。

---

2 〔編按〕諧音「私了」，《逃犯條例》修訂風波期間，有示威者以行私刑對付「藍絲」、白衣福建幫及被懷疑的黑社會分子。

他們更不惜操弄民調數據、收編傳媒學者專家、模糊是非黑白，讓人們在迷惘猜疑中失卻行動的勇氣。

張燦輝寫作的任務是喚醒人的主體性。他說：「沒有個體，便沒有自由；沒有懷疑，便沒有真相──那樣，我們的存在也沒有危機了，因為存在再沒有意義。」作為社會學家，我更關心的是能否建構一個如哈伯瑪斯所設想的公共領域，讓我們在自由開放的環境中對真和善進行理性和真誠的溝通，免被官方的話語體系所壟斷，將「另類知識」（alternative knowledge）和抗衡的意識消滅於無形。

燦輝兄出版此書可謂波折重重──先有出版社臨陣退縮，後得山道出版社拔刀相助才能面世。但今天山道境況堪虞，要在香港再版再印談何容易？可幸台灣已取代香港成為華文出版界的避風港，左岸出版社更具前瞻性，已出版了一些能經得起時間考驗的香港作品，燦輝兄此書是另一例證。如今讀書人已盡了言責，餘下是讀者的責任，大家共同思考如何在香港這個廢墟上重建存在的意義。

[推薦序2]

努力了，世界沒變好，那怎麼辦？
蔡子強*

　　哲學家，往往給人一種不食人間煙火的印象，只會致力探求形而上之道，不會也不屑去理凡塵俗事。

　　但中大前輩張燦輝兄，卻是個例外。近年，張兄不單時有以筆作劍，針砭時政，甚至會身體力行，參與社運，例如2014年的雨傘運動。

　　閱讀張兄的這本書，才知道原來他早年受到恩師勞思光教授所啟蒙，謹記哲學不是語言遊戲，不應只存在於課堂和學術研討會議中，而是要運用所學所思，反省分析現世的生活和實踐。談論哲學若不能應用於在生命實踐之中，理解真相，安身立命，那就終究只是一場文字遊戲而已。

　　張兄說，為什麼統治階級懼怕知識分子和哲學家？因為知識分子不能接受強權即是真理，因為哲學家要反省權力的來源及其合法性。公義不是由統治者頒布下來的法律，正義不能由強權來決定。知道公義、法治、平等、誠信、民主等普世價值的意義，

＊ 蔡子強，香港中文大學政治與行政學系高級講師退休，香港時事評論員。

就會對暴政、強權、獨裁、虛偽進行批判。

在本書，張兄更用哲學理論和思維，幫我們在整個反修例運動中所產生的憤怒、恐懼、勇敢、報復、平庸之惡、希望與絕望、寬恕等的情緒，一一作出梳理。當中不是每一點我都同意，但這種梳理，以及理論昇華，卻能讓我進一步反思問題。

書中，張兄也有分享了他與學生的對話和思考，當中牽涉到大家當前的困惑和迷惘：究竟在這個禮崩樂壞的時代，讀哲學何用，讀書何用？抗爭之後，我們真的能夠獲得民主自由？到底我們可以得到什麼？

如果我們已經很努力了，但世界沒有變得更好，那怎麼辦？

這也是近日我們學生不斷的提問。

電影《天能》（Tenet）片中，「發生了的事情就已經發生」，這句話被反覆說過多遍，讓人覺得有點宿命的意味，但來自未來的尼爾（Neil），態度卻不是消極的，片末，當主角問他，到底大家有否改變些什麼時？尼爾說出全片的精粹：『『發生了的事情就已經發生』，這只是對世界運作的一種表述，但並不構成袖手旁觀的藉口。」主角再問，這就是「命運」？尼爾說，我叫他「現實」。

「可知的結局並不構成袖手旁觀的藉口」，這讓我想起希臘悲劇裡有關宿命與自由意志這個主題。面對宿命的嘲弄，伊底帕斯和其他希臘悲劇英雄的抉擇和作為，展現出人的自由意志、崇高，與尊嚴。或許，這也是給身處這個艱難年代的我們，一種最大的撫慰。

命運和結局不一定可以由自己所控制，但我們可以選擇的卻

是態度，而態度決定了人的崇高與尊嚴。

近日有位年輕記者朋友，在氣餒中問我，都說「邪不能勝正」，那是否真的？

我說，如果用兩千年大歷史的角度來看，那自然是真的，但若是逐年逐年計，那就未必盡然。歷史往往是進兩步退一步的方式邁步，大家要有心理準備，或許今天，我們就是在退的那一程。

民主有漲潮，如第一波、第二波、第三波，甚至所謂第四波；但也有退潮，一次大戰後，以至今天，皆是如此。有起有落，歷史與人生，莫不如此。

時代遍地磚瓦，我們也只能蹣跚而行。

早前，去看張兄的照片展，張兄不單學有所長，且拍得一手好照片，更難得的是，他往往能夠把兩者融合，照片中常常帶有哲理。

進入 studio，有一幅照片立刻懾住了我的目光（見附圖1），雖然照片中只見雲霧繚繞、混沌一片，但心念一動，腦海中卻有句話電閃而出：

前景雖然看不透，但我知道仍有光。

在這艱難的日子，與大家共勉。

PART

1

———

中大危機

[1] 香港家書：思想自由永不可滅

嘉輝同學：

　　你到了德國佛萊堡大學攻讀博士差不多一年了，想你已經習慣當地的天氣和食物。有沒有嘗試過真正的黑森林蛋糕？當地的白葡萄酒又喝過多少？黑森林火腿、麵包和白蘆筍都十分美味，不要錯過。你的博士研究課題有沒有進展？指導教授和你的關係好嗎？在這裡念博士，全憑每個人的自律和努力，沒有僥倖成功。

　　我是在 1977 年到佛萊堡念博士的，當然明白箇中艱辛之處。那幾年不只是我學術生涯最重要的里程，更是我第一次的政治醒覺。當年我離開香港時，九七回歸問題仍未被提出來，我們仍然在英國殖民統治之下生活，雖然沒有民主，但是法治、自由、人權基本都存在，似乎不用爭取，可供我們在這借來的時間、借來的地方免費享用。留學德國四年半，我才開始明白什麼是民主選舉、政黨輪替、公民社會等等現代社會最重要的政治議題。當時也偶爾參加他們的政治活動，儘管只是旁觀者，也深深知道公民積極參與、民主開放的重要性。與此同時，中英就香港回歸問題正式開始談判。

　　嘉輝，相信你知道「佛萊堡」只是德文 Freiburg 的音譯，意指「自由堡」。自由堡大學 1457 年建校，是德國最古老的大學之

一，大學主樓刻了一句話：「Die Wahrheit wird Euch frei machen（真理會令你們自由）」。是的，真理和自由是一切大學的最基本理念。沒有學術自由，我們如何尋找真理！如果我們不相信有真理，學術研究有什麼價值！這是我從自由堡大學得到最重要的信念。

2019 年 6 月以來，林鄭政府無視香港一百萬人、兩百萬人上街遊行抗議，一意孤行與全民對抗，啟動警察暴力對付示威者等等令人悲憤莫名的殘暴行為，想你已從不同媒體看到。林鄭漠視無數年輕人，尤其是大學生的不滿和憤怒，是以抗爭行動無日無之。2019 年 11 月中那一星期，警察暴力鎮壓香港幾間大學的示威行動，更是令人髮指。實在不能相信，大學竟然成為攻擊對象。2019 年 11 月 12 日，警察在你我的母校校園發射了超過兩千枚催淚彈和無數橡膠子彈，中文大學成為了戰場！我親身到過校園兩天，但見滿目瘡痍，情況慘不忍睹。我們只有憤怒、悲痛，不敢相信「鞍山蒼蒼，吐露洋洋」的校園蒙此大劫！

嘉輝，我不想和你在此討論警暴和抗爭者衝突的分析——網上評論已有很多。我反而想談我在這悲慘修羅場對我們中文大學的感想。

我們母校的學術理念，沿自新亞的中國人文精神以及崇基的西方自由思想和基督宗教的博愛信念。兩所學院的創辦人都是流亡學者，他們為了逃離共產獨裁政權而南下香港，建立自由學術機構以繼續研究和反省當前人類面對的種種問題。彈指間，七十年過去，中文大學已成為世界一流學府，但在暴政之下，卻淪陷

為抗爭戰場，能不哀乎！

此情此景，令我想起我最敬愛的老師之一：沈宣仁教授。自1970年我入崇基，幾十年來沈先生對我愛護有加。他去世前曾嚴肅地對我說：「燦輝，你自出生以來，便成長在中國二千多年來最自由的地方，這裡有法治，尊重個人，有經濟自由，只要努力便可以成就自己，社會給予很多平等機會，不會因為你的政治理念或出身而歧視你。這一切是羅湖[1]以北沒有的。」

我知道，和我同代出生的人，無論是大陸的或台灣的，絕對沒有我這樣幸福。我沒有像他們經歷過無數的殘忍政治運動，沒有在人性淪亡的文化大革命中苟且偷生，沒有受過共產黨和國民黨的政治壓迫。我們這批香港出生的人，在無災無難、去政治化的環境長大。然而，九七回歸之後，我們慢慢發覺一國兩制是個騙局，高度自治是如何虛偽，以法治港並不是我們理解的法治之法，而是人為獨裁之法！我們是從英國殖民統治轉到中國共產黨的殖民管制。我突然發現，原來我們相信的法治、自由、民主、人權正慢慢被蠶食，維繫我們追尋幸福的條件正逐漸消失。

從前，我們享有的自由法治是殖民政府賦予的，但這次公民運動使香港人醒覺了，自由、法治、民主必須靠自己努力爭取，不能靠他人施捨。面對極權統治，我們能否爭取到這些基本普世價值，現在並不樂觀。但我們是否因此就絕望悲觀？

幾個月前，你發電郵問我，在這世代中，讀哲學還有什麼

---

1 〔編按〕羅湖位於香港及深圳的交界處，羅湖站是港鐵系統最北端車站。

用？辛苦拿到博士學位又如何？回港找不到教席，研究工作又渺茫。

具體情況我難以回答。的確，拿到博士學位並不保證一定可以當大學教授或者從事研究工作，但有一點是肯定的：經過嚴格的哲學訓練之後，你學會深入思考，因為你是一個自由人，能夠理解並反省各種現象和理論，你會獨立思考、找尋真相，不會盲從，不辨是非的聽從權威。同時你是一個有良知的人，不接受不公義，不依從權貴，不對待他人如物件，反抗殘酷的政權。如果是這樣，你便是自由堡大學和香港中文大學的好學生，因為在你成為教授或任何專業人士之前，你必須是一個人。成為一個自由人和好公民，這是亞里斯多德和孔子共同的信念。

儘管政治現實殘酷無情，但人的思想良知是不會被強權所消滅絕亡的。強權可以限制我們的社會公民自由，但永遠不可能毀滅個人思想的自由。

你現在身處自由堡大學自由地念書，正好自由地思考哲學問題、中文大學的精神價值問題。

嘉輝同學，共勉之。

燦輝上

2019年11月23日記於理大危機剛解時

[2] 永遠記得暴政對中大的鎮壓

2019年11月12日，我在家看電視直播，看到我從1970年開始讀書、生活、研究、教學的母校中文大學，受到香港暴警的侵略，殘暴對付我們的同學，悲憤莫名。

四十五年後再組人鏈

那一天，傍晚六時左右中大同事發起「何草夜話」，請我回來講話，和同學同事分享對當前事態的反思：題目是「守護大學，守護良知」，我責無旁貸立即答應。七時開始出門，但交通全面阻塞，花了一個多小時也沒有辦法進入中大，因為不能到場，夜話我講話的部分便要取消。無奈被迫回家。十時再看到暴警新一輪攻擊，再忍不住悲憤，決定徒步行回中大。當晚，沿城門河有許多年輕人同行，攜帶不同物資送往中大，因為所有公路已封閉，只有徒步才能回中大。

到了大學站民主女神像前，已有幾百個同學集結，處理由各方運來的物資，但最觸目的是一條長長的人鏈，從大埔道崇基牌樓入口，經過崇基圖書館、嶺南運動場，然後伸延至中大運動場迴旋處，令我想起上次人鏈傳送物資，已是差不多四十五年前從崇基舊圖書館傳送書到新圖書館。當年人鏈傳書，連續幾天，師

生興奮歡樂的加入，但2019年的這一夜，人鏈中的人只有悲哀、憤怒、難過。

守護大學　守護良知

　　我本來想在何草夜話談「守護大學、守護良知」是什麼意思。中大創校其中兩個辦學精神來源，一是來自新亞的中國人文傳統，一是崇基西方自由思想和基督博愛精神。新亞孔子像下的唐君毅銅像是中國人文精神象徵，崇基未圓湖旁的勞思光像是自由開放思想的典範。過去七十年來，這兩位哲人學者正是大學精神之所在，學術和政治良心之實踐。如今，如果他們能重生目睹中大慘遭殘暴破壞，必定和我們一樣悲憤莫名，而他們會跟我們説些什麼？

　　事實上，新亞和崇基都是1949年避秦南來的學院，兩者都是逃避共產黨逼害而建立的流亡學院。學院的學者離開了強秦，來到香港此地偷安，和平地在這借來的時間空間自由發展學術，到今天中文大學已成為世界一流大學。但無奈地，他們和我們幾十年的努力奮鬥，現在面對從來沒有過的挑戰，不是我們的學術有問題，不是我們的研究沒有意義，而是受了極權癌細胞侵犯，表面無聲無息，但已入侵了整個社會，大學亦不能倖免。強權、警暴、虛偽、謊言、盲從等等反人文精神的氛圍，瀰漫著政府上下，以致禮崩樂壞，令香港奉行的自由開放、民主、法治、人的尊嚴和平等等普世價值，正處於存亡關頭！

中大精神永不能忘

中大校園可以被破壞，教授學生可以被拘捕，兩位先輩老師的銅像可以被摧毀，但他們代表的大學精神和良知，不會、亦不可能被消滅，因為守護大學和良知已在我們這幾天抗爭中實現了，因為中文大學精神不會亦不可能被忘記。我們保護大學每一寸土和事物，同時知道中大的精神和良心活在我們心裡。

歷史上從來沒有政權入侵大學，二次大戰時盟軍不轟炸海德堡大學，納粹德軍也不攻擊牛津劍橋，而今天香港多所高等學府被警暴武力鎮壓，是人類文化的恥辱。我們永記今天暴政反文明的野蠻行徑。

堅持抗爭，守護母校香港中文大學！

2019年11月13日

[3] 真理與自由

　　第二次世界大戰末期，法國哲學家沙特（Jean-Paul Sartre, 1905-1980）寫了一篇短文〈活著的巴黎，沉默的共和國〉（Paris Alive, the Republic of Silence）。文章以極為矛盾之觀念開展：「我們從未像在德國佔領下那樣的自由。我們失去了所有的權利，首先是我們失去說話的權利。他們當著我們的面侮辱我們……正因為如此，我們才獲得了自由。」[2]

　　沙特為什麼說在德國納粹統治下的法國人最自由？因為人民的言論自由沒有了，出版集會遊行全被禁止，隨時被拘捕，可能被槍殺，或遣送到集中營，但是如果有任何人決定發言、行動、反抗暴政，則他或她是根據自己的良知和信念而行事，是自由的決定。正因為言論自由被打壓，敢發言的才最可貴；正因為公民自由被取消，一切反抗變成違法，抗爭才有意義；正因為每個人的尊嚴被踐踏，肯定普世價值而站出來的每個人向極權抗爭，才顯得自由的重要。每個人都要向自己的良知負責，因此之故，法國人在德國納粹鎮壓下，最為理解自由的意義，所以他們是最自由的。

2　發表於1944年12月號的 *The Atlantic* 雜誌，可參看 https://www.theatlantic.com/international/archive/2014/09/paris-alive-jean-paul-sartre-on-world-war-ii/379555/

不接受知識權威　真理愈辨愈明

　　香港似乎還未到納粹極權統治的地步，但政權依賴警察鎮壓市民，和納粹祕密警察打壓異見分子只有程度的分別。警察根據上級命令而視一切抗爭為違法，將示威遊行的市民視為暴民，將抗暴行為列作破壞社會秩序的罪行，以至合理合法化所有警察武力鎮壓行動。對市民抗爭和警察暴力的分析，對整個運動的因果論述，同仁已發表很多文章，我不再在此申辯，倒想提出真理和自由的密切關係。

　　真理和自由是所有大學的基礎。沒有學術自由，探索真理是不可能的；沒有肯定真理的存在，學術自由便沒有方向。但重要的是，真理並不是恆久不變的，到現在為止的所有知識（儘管是有效和確定的）都是暫時性的。學術研究沒有終點，探索知識永無止境，經長遠的探求、積累、辨明及發展下去，真理才會愈辨愈明。換言之，知識和理論需要不停的確認，反覆檢證，學術研究才會慢慢逼近真理。因此，不接受知識權威是學術自由的起點。近代的科學革命便是在不斷向神權和傳統知識挑戰下發展而成。哥白尼的日心說推翻了千多年以來的地心說，才確立人類世界根本不是宇宙中心。達爾文發現物種的多樣性，繼而追問根源問題，從而撼動神創造萬物之說。沒有這種思想自由，現在大學的知識體系根本不能建立起來。

喪失尊嚴和自由的學者

　　如果大學學術研究是依照特定的理論發展，如果一切學術探討是要符合預設的結論，如果大學課程是按照官方確認的內容授課，由官方決定哪些課題可探討、哪些不能處理，這樣的話，大學便死亡了，因為大學取消了她自身的價值，淪落為洗腦的機器。納粹統治下的德國大學教育是這樣，蘇聯時期共產主義領導的大學如是，中共管制下的大學亦一樣。學術自由被打壓，因為由官方認定的真理早已確立，不會改變，不需要也不應該受到挑戰。學術自由沒有了，學術尊嚴也沒有意義了。

　　業師勞思光曾告訴我一個小故事，他年輕時代在北京大學念書，受教於賀麟教授。賀麟是留德學者，在北大是德國哲學尤其是研究黑格爾的專家。1949年賀麟沒有南下，留在中國內地，卻從此被迫停止學術生涯，沒再出版任何有價值的學術著作，只作學術翻譯。上世紀80年代賀教授曾經到中文大學作訪問，訪問期間，中大當然要為他辦講座。演講前一晚，賀教授戰戰兢兢的將講稿交給勞先生檢查！勞先生回應，在中文大學演講，從來沒有內容檢查，這是尊重每個學者的自由。賀麟大惑不解，問中大為什麼如此自由，不怕有麻煩嗎？勞先生對我表示，此事令他十分悲哀，一位有分量的哲學家，被共產黨折磨至此，尊嚴和自由都喪失了，能不哀乎！當然比賀麟更可憐的哲學家比比皆是，中國哲學家馮友蘭為了苟且偷生，做了不少歌頌權貴，埋沒良心的事。

　　勞師曾教誨我：在共產黨統治下生活，是無可奈何的事，但

至少不做幫兇，不助紂為虐，不阿諛奉承，不搖旗吶喊。

　　儘管在強權下，我們的公民自由被打壓和剝削，我們仍然可以依良知和運用我們的自由，向強權說不！

　　2018年北京舉辦了五年一屆的世界哲學大會。這是世界哲學界的大事，有幾千位不同國家的學者參加。我曾是中文大學哲學系教授和系主任，當然被邀請參加這中共引以為傲的聚會。但我當年婉拒出席，也向邀者問了一句：我們會參加1936年在德國柏林舉行的奧運會嗎？

2019年12月7日

[4] 北京與北平

　　1936年我們不去柏林參加奧運會是因為這是納粹德國向世人顯示其霸權的聚會。奧林匹克精神推崇自由、和平、公正，但納粹極權主義剛好相反，鎮壓自由、反民主、日耳曼民族至上。是故由德國承辦奧運會是對奧林匹克精神的一種諷刺。同樣道理：自由是所有哲學的根基，沒有思想自由，很難想像哲學如何建立。世界哲學大會由一個不相信和沒有真正思想、言論、學術自由的政權來統籌，是對哲學本身的一種侮辱。因此之故，2018年在北京的世界哲學大會是對哲學的虛偽確定。為什麼我要參加？

　　但是，北京不是很進步繁榮嗎？人民生活水平不是提高了不知多少倍嗎？北京的商場不是和香港、倫敦、東京、紐約的商場一樣嗎？所有西方名牌貨品都可以買到。無數現代建設都證明北京變了，北京大學，清華大學校園全部現代化了。我們還埋怨什麼呢？

　　的確，北京不再是北平。但外貌變了，本質有變嗎？

　　我跟隨業師勞思光老師四十多年，關係甚篤。他從未責怪我任何事情，然而只有一次例外。

　　事緣於我自以為是，嘗試安排老師回歸北京大學作學術訪問一事。

　　眾所周知，勞師祖籍湖南長沙，出生於西安，成長在北平。我們眾師兄弟與師同遊，常聽他說北平故事，老北平的大柵欄、都一處、王府井，提起時津津樂道。是以我們感受到勞師去國雖久，但仍心繫故居。我們心想，如果能和老師重返北京大學，重遊北平，豈不是樂事！北大哲學系百週年紀念，亦提勞師是北大傑出校友。勞師能在北大哲學系做講座，不是更好的美事？

　　是以我當哲學系系主任時，和師兄弟同上北大哲學系商討訪問安排，強調勞師回北大是以學術文化為主，不見任何政府官員，沒有官方活動，純粹私人訪問。其時北大哲學系系主任一口應承，非常歡迎勞師回歸母校訪問，一切安排依照我們的要求處理，將這次訪問安排得最妥善。

　　我們滿心歡喜，期待訪問成行。興奮地向勞師提出這訪問計畫，希望他一口答應。但他聽後，一言不發便走了。幾天後找我見他，冷冷的對我說：「我回大陸只有一個條件，就是共產黨變了，或者，我變了。現在共產黨沒有變，我也沒有變。以後再不要提這個議題。」他那時的責備口吻，至今仍未忘懷。

　　北平已變成現代的北京。但獨裁統治政權有改變嗎？

　　中共已成為世界經濟強國，中國人民再不是一窮二白。人民有經濟的自由、消費的自由、旅遊的自由、墮落的自由。但沒有公民權利和自由，沒有思想、學術、出版、集會的自由。但這不是中國人三千多年歷史的事實嗎？國泰民安是最重要，政治、公民、思想自由是破壞安定繁榮的源頭。人民不需要也不應該擁有這些自由。維穩是一切。

現在香港的抗爭，是破壞香港的繁榮安定，爭取民主自由是無聊多餘的行為。安心做滿足的豬，享受一切政治安排的設施，不是更好的嗎？

但做滿足的豬只有一個條件：自由和尊嚴再不是我們肯定的價值。

勞師是一位自由人文主義者。人文主義強調人的自主性，一切是非成敗都是人自己所創造出來，不問天地鬼神。每個人都要面對生命的有限性。

我們不可能知道這一切政治抗爭運動會有什麼結果，但無論成敗得失，我們是根據良知自由地選擇我們的所作所為，如是，我們便有人生意義和價值，不枉此生了。

2019 年 12 月 8 日

[5] 自由與教育

20世紀初港英殖民政府創辦香港大學，目的是培育菁英管理人才和專業人士，如醫生和工程師。早期大學高層考慮成立文學院，但被大多數人反對，理由之一是：當時在印度叛亂的示威分子源自大學的文學院，因此，大學不應該建立文學院，尤其是哲學系。

為什麼統治階級懼怕知識分子、哲學家？因為知識分子不能接受強權即是真理，因為哲學家要反省權力的來源及其合法性。公義不是由統治者頒布下來的法律，正義不能由強權來決定。

自由——自主行動的預設

我們和動物最不同的地方在於我們能問問題——能夠問為什麼，更可以問為什麼是為什麼？但與此同時，我們會自覺的知道我們是一個個體，依德國哲學家海德格（Martin Heidegger）說，一個可以選擇自己或不是自己的個體，簡單地說，我們能夠做自己或不做自己，是因為我們有自由意志。自由不是一個概念，自由是我們每個自主行動的預設。

無論你是和理非或勇武或深藍人，無論你是泛民或建制，你首先是一個人，當然你有很多理由決定你是黃或藍，反對暴政或

擁護建制，但當你決定去遊行抗議，去勇武抗暴，或贊同警方鎮壓，你做了一個自由決定，你可以去或不去行動。至少現在香港沒有人強逼你去遊行抗議，或參與反對市民抗爭的愛國護港行動（當然除了收了報酬辦事之外）。你做了一個選擇，去或不去的選擇。當然你的選擇受不同情況影響，亦受你的知識和情感所決定。我在這裡暫且不談什麼知識是對是錯，但無論如何，你知道你是自由的，決定自己行動的自由。

為什麼香港民主運動經過了六個月的漫長抗爭，香港市民嗅了無數催淚彈，暴警武力鎮壓和無理拘捕，於2019年12月初的一個星期日，仍有八十多萬人上街遊行示威？除了憤怒和良知之外，還有什麼可以令我們持續抗爭？因為我們仍是自由的人，仍可以自由地決定我們的行動！

中學通識的解放本義

希臘哲學家亞里斯多德（Aristotle）於兩千多年前說過，教育最終目的是令我們成為自由人和好市民。當然教育要有方法，有學習內容，這是將我們從無知、獨斷、狹隘和愚昧的處境解放出來，通過學習和反覆思索，到達共同的公共知識領域，而透過真確知識我們便可以自覺的成為自由人。這就是 Liberal Education 的原意。Liberal 不單指自由，同時意指「解放」。

香港中學的通識教育，英文不是 General Education 而是 Liberal Studies。這正是沿自亞里斯多德的原意發展出來。透過通識課程，讓同學理解人生、社會、文化等議題。當然不單單是通識

課程，人文學科、社會及自然科學同樣重要。有了這種種知識，我們才可以獨立自由思考世界，反省我們的處境。知道公義、法治、平等、誠信、民主等普世價值的意義，才可以對暴政、強權、獨裁、虛偽進行批判！憤怒和良知，令我們自由的站出來抗爭。

真正的教育

數以百萬計的香港人出來抗爭，因為我們是受了教育的公民。我們不是活在豬欄的豬群，不是被洗腦、只服從命令、只接受官媒訊息、不能行使自由的順民。我們是能分辨是非善惡，理解真假對錯的自由公民。

董建華說得對，中學通識教育課程「教壞」了我們的中學生，但正是「教壞」了的學生才是受了真正教育的學生。如果我們希望香港沒有這批「壞」學生，當然應該取消通識教育，更應該取消所有教育，更重要是廢除大學教育，之後而成立思想統籌局，強制奴化訓導、服從上級命令、灌輸單一價值。這樣，香港便沒有受教育的公民，香港便太平盛世、繁榮安定，自由也不復存在了，民主法治更不需多談。香港多美好！

但是，知識分子沒有了，受教育的自由人和好公民也沒有了，這還是我們可以生存的香港嗎？

2019年12月11日

[6] 自由與反叛

　　自 2019 年 6 月爆發的反送中抗爭，香港人得到了什麼？反暴有意義嗎？

　　每次看完歐威爾（George Orwell）的《一九八四》，讀至全書最後一段都感到悲哀難過：

> But it was all right, everything was all right, the struggle was finished. He had won the victory over himself. He loved Big Brother.
>
> 　　所有的一切都解決了，所有的鬥爭都過去了，他戰勝了自己，他熱愛老大哥。

　　是的，最後，一切抗爭都沒有意義，主角溫斯頓以愛和自由去對抗絕對極權政府，最後完全被權力所粉碎，他再沒有愛、自由和自我。人格被酷刑所扭曲，自我再沒有什麼價值，他只是等待行刑。不過最重要的是：他知道反抗沒用，他愛老大哥。

悲劇和歷史的分別

　　這是歐威爾寫於 1948 年的小說，雖然是虛構故事，不過亞里斯多德在《詩學》中早說過，悲劇和歷史的分別在於前者是可

能發生的事，而後者是記錄已出現的事。因此，可能性比實在性更有哲學意義。

一位後輩學者，受過嚴格哲學訓練，近月對香港的「暴徒」深感痛恨，對我的言行更不以為然。她說：「在我看來，您是在誤解和缺乏瞭解當中作無謂抗爭……我不敢說我很瞭解中共，我仍只是在學習當中。但我比較相信，中共絕對不是您們想像中幾十年來沒任何轉變的邪惡政體。我更不明白，為何要暴力抗爭？已經出人命了，我們真的能夠打敗中共嗎？抗爭之後，我們真的能夠獲得民主自由？到底我們可以得到什麼？」

真的，共產黨以鋪天蓋地的大數據監察著每一個人，不正是《一九八四》中老大哥無時無刻俯視著我們嗎？我們反抗是沒有用的，投降吧！安分守己做個聽話的「好」市民吧。

哲學——對被命定安排現實的反叛

業師勞思光先生對共產黨的批判已說得很多。他的《歷史的懲罰》更是我時時重溫的好書。前輩李怡先生多年來對中共邪惡政權的反省，也寫了大量文章。我不可能比兩位前輩更懂得共產黨，故此，我不去談論我是否誤解共產黨，我想在此談談反抗的本質。

如果自由是一切哲學的根基，則反叛精神是哲學的表現。

哲學的起源來自對現實的好奇和驚訝。我們會問：為什麼世界是如此的存在，為什麼我們有生有死？我們的生命有什麼價值？什麼是道德？什麼是公義？什麼是愛？如此等等無數普通人

覺得無聊多餘的問題，正是哲學的主要課題。簡單地說，就是不接受所謂「現實」就是如此這般，這是對現實的反省，亦是對被命定安排的現實的一種反叛，即我們要尋求「現實」背後的意義、價值和根由，來安頓我們的人生。

是故，我們永遠不會滿足於現狀，尤其是面對當前的暴政強權，面對虛偽言論和官媒，更加要以哲學反叛精神去對抗。我們言論可能被滅聲，行動被禁制，但我們可會就此屈服，不作反抗？我們服氣嗎？

反抗的過程更顯意義

歷史中無數的抗爭者面對暴政強權，被打壓成為馴服者，但他們心中接受如此的命運嗎？羅馬時代奴隸的反叛，當然不能打敗羅馬帝國的強大軍隊而最後全部被滅，但我們會說這批奴隸不自量力，作無謂犧牲？我心中反而是讚嘆他們的反叛、勇敢、知其不可而為之。失敗者比勝利者更值得敬重。因為失敗者不是盲目的抗爭，他們心中是有希望，儘管最後可能是絕望，但無論是希望和絕望，都是源自對命運的反叛，希望和絕望便是人之為人的價值和意義。

任教牛津大學的社會學家斯坦‧林根（Stein Ringen），其最新著作《完美的獨裁：21世紀的中國》（*The Perfect Dictatorship: China in the 21st Century*, 2016）說得很清楚，中國共產政權是當今最龐大最完美的獨裁統治政權，我們以卵擊石，雞蛋擲高牆，難道不是必敗無疑？當然我們可能失敗，被打壓到體無完膚，但是我們可以昂起

頭來，驕傲地說，我們的抗爭是自由、自主的，不是被人煽惑的。因為我們是自覺的人，因為我們不在強權之下投降。

　　哲學反叛的目的是去更理解現實的真相，反抗的目的是為實現一個更公義、民主、自由的社會。我多次強調，反抗的過程比目的的實現顯得更有意義，不去抗爭而去投降是將我們變成豬群。

　　《一九八四》中老大哥要你相信：「戰爭即和平，自由即奴役，無知即力量。」最後兩句，從來沒如現在般來得如此真實，如此迫切，如此值得我們反省！

2019 年 12 月 15 日

［附錄］極權求生錄：
讀張燦輝教授四文有感
大埔山人

　　讀了張生[3]近日疾書四文（〈真理與自由〉、〈北京與北平〉、〈自由與教育〉及〈自由與反叛〉），彷彿又回到從前，時不可淹，思緒凌亂，竟不吐不快，雜碎拾遺成篇。

　　其一，悲賀麟教授之遭遇，每當想到他承受如此及長期的屈辱，低頭生存，後半生竟沒法繼續自己的哲學研究，只能在數十年動盪的夾縫中聊作翻譯，如此被迫浪費自己，不知何堪回想。更不堪想，是在極權社會重重扭曲中，賀麟之低頭靜寂竟已是難得的奇節。

　　知識分子，我們從小到大所學所持的是己達達人，道濟天下，取義成仁，但實際上多半是另一回事。懷才不遇、有志難伸者，豈安於低頭靜寂一生，了無功業，既然春光浪費難耐，多少人選擇折腰，或虛作無知，或作浮士德式交易。就拿文中提及的馮友蘭吧，他自己可能也想不通，究竟他是被迫屈從，投誠自重，還是真心錯付。他那位同姓的前人馮道，情況不也類似，但馮道

---

3 〔編按〕生指「先生、男士」，字前冠以姓氏或阿，此即張先生之稱。

是單人對望耶律德光，力挽狂瀾遂打消契丹即將南侵肆殺中原的計畫，而馮友蘭則是屈膝覲見某人，竟在某人左右授意下以「梁效」為名，廣寫那些罄竹難書的歪文。馮友蘭，是知識分子吧？他與我們現在多少人何其相似？悲來乎，不求捨身以光照世間，只求賀麟之同路，又多少人？

其二，悲北京之竟不如北平，晚清民國，更壞更亂也好，京城人文活力不改，爾後卻幾乎沒有。晚清至民國間大半世紀，我國傾頹，內外交困，政府在變革之中，最野蠻和最開明的法律政策，最保守和最前進的在朝在野領袖，一一並存，人民逐漸覺醒，各人思想中最愚昧和最開化的部分在互相競爭，與張生引沙特所言可以對照，我國人民在晚清至民國間如何身處外在不斷的動盪之中獲得思想裡的自由，這種自由一點也不和平，也不文雅，晚清六君子，民國五四，此等才是京城風貌，如此自由。悲來乎，如此自由，又多少人承受得起？

其三，教育大方向分三種：正、零、負。指涉不是教育的內容，而是教育緣起的意義。正的教育，不只學術層面，更是有關自由思想的培養，那麼零的，就只有純粹的學術，至於負的不用多說，學術因各種原因不全，還要培養另一種類似思想的替代品，並使學生習慣其中，這大家不難意會。2012年中以前，我城教育大概算是零的，學術層面師生可自由涉獵，官訂教程內當然沒有有關自由思想的培養，但老師自行培養政府也不會干涉（至少六七[4]以後如是），配合自由流通的資訊和基層的公民教育（無甚民主實踐，但起碼有清潔運動），市民思想縱或狹隘、道德縱

或有缺失，也不是無可補救，我們看這半年多少人覺醒就已知道。

2012年中以後，教育發展陷入正負之爭，最後看來是向負方發展。正的指之前研究籌備在2012-13學年推行的高中通識教育科，正是有關自由思想的培養。負向也在同時開始，另一種教育科亦原訂最早在2012至13學年推行，最後關頭幸給我城的年輕人用自己為犧牲煞停，但陰影仍高懸不退，當中的元素其後在不同時地以不同的方式形態悄然插入，其勢至今益烈，若竟其功，果真入不歸之路。推行者著眼處實非如何在官訂教程裡達到目標，因這只會變成集體的陽奉陰違，而是限制資訊流通和大興告密，如此才能保證人們逐漸接受並成為生活日常，蘇聯正如是。悲來乎，行步至此，不就是在形而上摧毀我城殆盡？耶律德光尚且一念間放棄南滅中原，不祈求域外之人對我城動心，是說多少人是那些馮友蘭的同路，你們用了多少精神時間才說服自己？你們半夜睡得好嗎？你們果沒浪費自己，那你們是否浪費了比自己更高更大的人之為人的什麼？悲來乎，又多少人能給自己一個以此安心立命的答案？

悲來乎，悲來乎，一切已這麼遠了，時不可淹。已矣乎，鼓笛手已自晨光盡頭如約趕到，揚抑整齊音步，遂渡河。

4〔編按〕指1967年香港左派暴動。

[附錄] 《壹週刊》訪問張燦輝：
人在強權之下最自由！

早前中文大學和理工大學先後遭警方圍堵，一幕幕暴力鎮壓畫面怵目驚心，恍如六四天安門夢魘重現，示威者不論和勇都死守反抗到底，校友師生各盡方法救援，希望一個也不能少。

剛年屆七十的中大哲學系前系主任張燦輝教授，一直支持學生參與這場抗爭運動，從事法律界的妻子也是中大校友，二人對母校的感情血濃於水，中大被攻第二個晚上，由於學生缺乏食物，夫妻二人便在家煮了數十人的飯菜開車運入校園，以表達關愛之情。

張燦輝五年前參與佔中，與好友陳健民一齊公民抗命，更在中環派發杯麵送暖，愛好攝影的他又出過攝影集記錄當年抗爭情況，十分投入，激情至今不減。

愛好思考生死的他，70年代進入中大哲學系，師承哲學大師唐君毅、錢穆和勞思光等一批大陸流亡學者，更深受勞思光影響，認為面對中共獨裁的管治，香港人義無反顧反抗，是憤怒和良知的表現，他更表明不再踏足中國一步，更以二次大戰時期法國著名哲學家沙特的話為香港這場波瀾壯闊的運動作註腳：人在強權之下最自由！

訪問當日，中大校園剛剛重開，計程車由新亞去崇基，已聞不到催淚煙，但沿路都看見抗爭語句，寫在大廈外牆和馬路上，為這個本來恬靜的校園畫上不能磨滅的痕跡。張燦輝的人生就在這裡度過了四十個寒暑，「我 1970 年來中大讀書，當時只有馬料水幾間屋，變成現在這麼多建築物，我看著它長大，一齊成長，好有感情。」

夫妻開車送飯入中大

2019 年 11 月 12 日，大批防暴警察圍堵並攻入中大校園，張燦輝看著電視直播，內心充滿焦急和悲憤，當晚他本來臨時被邀請在校園舉辦「何草之夜」講座，和同學同事分享對當前事態的反思，題目是「守護大學，守護良知」，但最後因為交通受阻無法進入校園而被迫取消，但一直與校內的朋友保持聯繫，翌日他收到消息指學生及示威者缺乏食物，飯堂已一早關閉，於是二話不說，與太太在家煮大鍋飯後人肉快遞，「我太太很快煮了好多人飯菜，而且是很不錯的，我們合力做了麻婆豆腐、栗子炆排骨、豉油雞翼等，有四個菜，做好一盒盒，用三個電鍋煮了好多飯送過去，估計有六十人的份量。」

由於當時交通依然阻塞，車子無法進入中大，張燦輝就在中大外面的麗坪路迴旋處交收飯菜，「我們好轉折去到麗坪路，迴旋處有好多人收物資，我們與裡面的同學有接觸，他們負責將我們做好的飯菜運過去，一兩個小時後同學回覆說收到食物，說很好吃，我們好開心，這就是我們所做的事，不用多想，見到母校

受到踐踏，大家都覺得好悲憤，有什麼可以幫便做。」

送物資對於張燦輝夫婦已不是新鮮事，五年前佔中，他們也派發過杯麵三明治，他太太的律師樓在太子大廈，二人用幾個大真空罐裝著熱水運到街上現場沖杯麵，至今仍然歷歷在目，「我們在佔中時派過杯麵，都好大工程，水要由太子大廈運過去，在大會堂外的馬路發。」當時他還在四周拍下佔中的街頭情況，後來出了一本《異域》：關於烏托邦思想與雨傘運動相片的文章攝影集。他熱愛攝影，沙田的家掛滿作品，大部分是在世界各地旅行時拍的，講究構圖和意境，其中一張是三十年前在天安門所攝的北京民眾，充滿中國特色，不過他說不會再踏足中國內地一步。

深受勞思光影響

「我再講，我不再踏足大陸一步，如果中國仍等於中共，我就不承認我是中國人，我只是香港人。」說得斬釘截鐵。

「中國文化風景秀麗，我們當然會欣賞和尊敬，我都想再去一次，但和我老師一樣，他在1949年離開大陸來到香港之後，從未返回去。」他口中最尊敬的老師，是中國著名思想家、中大哲學系前教授勞思光。除了中大，勞思光也有一段時期在台灣各大學任教哲學，影響兩地不少學生的思潮成長。

「我在中文大學時受勞思光影響好大，我和他關係延續了四十多年，中大未圓湖的銅像我都有參與建立。」勞思光銅像於2017年立於未圓湖，以紀念其九十冥壽及辭世五周年，是中大繼李卓敏、孫中山、唐君毅及高錕後第五個紀念銅像，張燦輝說籌

辦立像過程充滿艱辛，但最終都順利完成，實在得來不易，而老師的訓誨他一直未敢忘記，「勞思光覺得共產黨是不可以相信的，他60年代寫的《歷史的懲罰》，以及後來寫好多有關香港前途的書，都不幸言中。」

勞思光和早期年代新亞書院創辦人唐君毅、錢穆及牟宗三等，都是因為擔憂中共政權的迫害而逃亡香港，「他們都不能接受獨裁政權思想，認為與中國文化有好大的衝突，於是離開，希望重建中國人文精神，來港後建立新亞，由桂林街、農圃道，直到中文大學校園。」他說當年師生關係密切，「中文大學與其他大學最不同之處，他們創校本身是一種流亡大學，師生關係好親密，我經常去老師家吃飯，談天說地到通宵，又一齊上街看電影，做好多事。」

香港死了　源頭是暴政

時移勢易，這種師生關係現在愈來愈少有，所以他經常很珍惜在香港享有的自由，以及在這個借來的時間、借來的空間所能做的事，包括教書、做研究、攝影以及其他收藏嗜好等，但發現這些空間開始愈來愈少，他太太是大律師，所屬的大律師公會在反送中初期多次向政府表達修例帶來的破壞，但政府充耳不聞，「我太太所屬的大律師公會，我所認識的學者，寫了無數次文章，講了無數次，都被當成廢話，我好記得她（林鄭月娥）怎麼講：『廢話！』當時我們這班和理非已經覺得沒得救，Hong Kong is dead！『香港死了！』」

　　所以他很明白年輕人多個月來上街抗爭的感受，「現在示威者在街頭出現的暴力是果，你不能譴責果而不去看因，因就是政制暴力、警察暴力，這才是源頭。」

　　「如果一切暴力都要譴責，我一定會罵孫中山，一定會罵二次大戰時一切反納粹的游擊隊！」

　　他形容今次是全民抗爭，不分階層，一起勇武，「我認識好多名校高材生，家裡有錢的人，完全不需要做這些事的人，都穿黑衣上街；有個成功生意人，太太又有孩子，但夜晚都會走出去衝，有次我見到他雙眼都紅了，因為吸了太多煙！」

　　五年前公民抗命失敗，到今年反送中初期政府的冷漠，他以為香港真的死了，直至看見勇武示威者衝入立法會，高呼時代革命，他彷彿又看見希望，「這個政府團結了好多人一齊反抗，就算他們怎樣說學生暴力都好，情況與他們預期的剛剛相反，為什麼我們不割席，好簡單，記得有次荃灣有個十一歲小朋友接受訪問時說，因為大家都憤怒，都有良知！」他也身體力行，「我參加好多次遊行，我是銀髮族，不能太前，我學生說，張生你走不動，不要太前。我都聞過煙，未聞過都不是香港人啦。」

自由要爭取　這是存在的抉擇

　　他家藏書很多，最近重看法國哲學家、存在主義大師沙特的作品，發現有一篇在二戰時寫的文章，令他對香港當前形勢深有所感，「文章好短，是於 1944 年在美國 *The Altantic* 期刊發表，題為 Paris Alive: Jean-Paul Sartre on World War II，他一開始就講，法國

人未試過這麼自由，在德國強權之下是最自由。（Never were we freer than under the German occupation.）」看似矛盾，卻充滿哲思，「他說自由是要爭取的，當你發覺不准講話不准做任何事，而你要發聲、你要做事，肯定自己個人的尊嚴和獨立的人格，就要反抗，沙特說這場仗（法國攻打德國）是民主的，因為不論你是戰士、游擊隊、普通市民，全部人都有這種想法。」

「沙特認為，我們每個決定都是一個存在抉擇（existential choice），你不用出去、不用送飯、不用示威、不用遊行、不用投票，全部都是存在的抉擇，當你每做一個抉擇，不是有人叫你去做，亦不是因為收了錢，是良知覺得這個做法是應該做。」

「公義不是講的，是要做公義的事，良知不是講的，是做良知的事。」

區議會選舉當晚，他一直沒怎樣睡，半夜看見民主派大勝，即時在家倒了兩杯威士忌慶祝，「面對這個政權我們可能感到無能為力，但我們仍然有最有限的空間表達意見，就是用選票。」

強權之下　誰能禁止仰望夜空？

張燦輝夫婦在九七前已有居英權，在英國亦有物業，子女也成家立業，可謂無後顧之憂，但依然寧願留港繼續教書工作，「以我們的能力，去英國、美國，什麼地方都好，可以有屋住，享受安靜美麗的環境，但那個世界不屬於你，政治亦與你無關，我們可以在英國談脫歐，但都不關你事，一切關你事的感覺，在今次的選舉中就出現，這件事是關每一個人的事。」

　　留戀的，是香港的人情味和食物，「哪裡還會有這樣好的腩河、雲吞麵吃？街裡的喧鬧，只有香港獨有，與人親密的關係，這些都是我由小到大的回憶。」

　　「你當然可以說強力鎮壓來到，有一日全部都要收聲，不過收聲等於我們不出聲嗎？」

　　「人類歷史最感動的一幕，是當伽利略被教皇逐出教會時，他對教皇說的一番話：你可以不准我出聲，燒光我的書，不准我與任何人說話，不准我做任何事，但卻不能禁止我在夜間仰望星空。」

2019年12月11日

PART

2

———

真理的危機

[1] 要做一個「人」

抗爭停頓並不等於民憤可以被壓制，在共產黨體制下生活無可奈何，但至少不做幫凶，不要助紂為虐，不參與。

人心未死，反送中運動已種下種子，有朝一日將成為更大的運動。雖然高牆很大，雞蛋扔得多的話，仍然是有意義的。如果每個人醒覺，自覺地參與這個運動，其實已經參與著整個歷史的改變。

中國流亡知識分子成立中大

2019 年 11 月 12 日中文大學發生被暴警鎮壓事件時，我感到很悲哀。我一生中大部分時間在中大度過，對中大的一草一木都有感情，包括中大的同學。

中文大學是 1963 年由崇基、新亞和聯合三間學院組成，而崇基、新亞在中文大學有很重要的位置。崇基在中國大陸未變色之前，在大陸有十幾間基督教大學，其學者在中共奪取政權之後，來香港繼續他們的教育事業。而另一些中國知識分子亦離開中國大陸、流亡避秦來到香港，在新亞重新建立他們的學術事業。

新亞的創校學者，有幾位對我們影響很大，如中文大學哲學系的唐君毅教授，我曾經受教於他。另一位是勞思光教授，也是

我的老師，1955年他從台灣過來，慢慢成為中文大學一個非常重要的老師，他寫的中國哲學史和他的為人，作為知識分子敢言批評共產黨、國民黨。我對香港時局發表了很多意見，很多觀點都是從他那裡學的。

這些新亞開拓者，覺得全中國大陸都淪陷，所以更要反省中國文化出了什麼問題？來到香港怎樣重新肯定中國文化的位置呢？所以新亞學者就將亞洲文化重新反省，寫了很多的書。

公民參與政治的權利

看到中文大學於2019年11月12日的情況，所有中文大學的朋友、校友都非常心酸和悲哀，那是很形象化的事件。大學是學術自由、思想言論自由的地方，這是我們老師和學生一起反省人生、世界的地方。那晚警察狂烈的進攻，發了兩千個催淚彈及橡膠子彈，是不可想像的、是很悲哀的事。

當晚我回到中大，心中非常激動。激動之後回想整個事件是怎麼發生的呢？抗爭不是從2019年開始的，自2014年的佔中運動就已經開始了。那時候我也參與其中，佔中運動失敗，在金鐘的七十九天抗爭，最後以清場告終。大家以為佔中運動失敗，以為沒有用，但是種下一個很重要、很重要的覺醒。

是什麼樣的覺醒呢？我們大部分香港人、包括本來比較和平的和理非，原來我們用盡一些和平的方式是沒有用的。這麼多年我們無數次在報章上連署，甚至自己花錢在報紙頭版刊登聲明都沒有用。香港政府是強權，根本就不理會我們，政府就算講得天

花亂墜，說我們一切的人權自由都得到保障，但有沒有實行呢？
如果繼續這樣下去，我們香港人、香港的下一代有什麼出路呢？

中國開放之夢

我最敬愛的老師沈宣仁教授曾對我說過：「燦輝你記住，你
是1949年出生的人，香港這一代，是中國三千年來最幸福、最
自由、最多機會的一代。」對比一下同一時代的大陸和台灣朋友，
當時他們經歷了多少政治鬥爭、白色恐怖，香港人全都無災無難
避開了，隨著香港的騰飛，我們有更多的機會，確實有思想、行
動的自由，沒有什麼書不准看，也有很好的法治。

但遺憾的是，港英政府沒給香港人民主，到後來我們全力爭
取民主，要有公民權，要有參與政治的權利、自由。民主在香港
是個歷史問題。英國在第二次世界大戰之後，逐漸退出全球殖民
帝國，香港有自由、法治但沒有民主。但我們這一代，已深深感
受到自由、法治的好處。

我記得小時候去落馬洲，遙望那邊是共產境地，這邊是自由
世界。之後80年代中國改革開放，慢慢就全變了。我看到國內
的年輕朋友、知識分子，開始有新景象，出現像文藝復興期的一
個小陽春，很多不同的思想湧現，容許大家開放討論。那時我有
朋友在北大，也見到其他朋友寫的東西、想的東西。當時我覺得，
嘩，中國未來有前途！80年代中英協議香港前途的時候，中國
是有進步的，改革開放不單要經濟開放，政治也要開放。

經濟起飛　只有消費和墮落自由

不過，1989年天安門事件就將這希望徹底摧毀，那時候是極度悲哀的。我1983、84年從台灣回香港工作，91年再回到我的母校中文大學教書，89年前後的種種變化，我都經歷過。

六四事件之後，我們慢慢對整個世界、中國的關係，理解得多些。表面上中國的經濟是起飛了，但中共仍覺得美國是它最大的敵人。季辛吉、尼克森這班自由主義者，希望中國大陸進程像台灣一樣，以為當一個國家經濟起飛，人民有錢了，慢慢就會改變，就會走上自由民主的路。但是，我們又一次錯了。以GDP來計算，中國表面上已成世界第二經濟強國，人民有的是什麼呢？是消費自由、墮落自由！但最重要的公民自由、真正的思想自由，全都沒有。

新聞教育法律　全為黨服務

西方世界或者自由世界裡的公民社會，有三大重要支柱：教育、新聞和法律。在大陸，這三大支柱明擺著全為黨服務，怎麼會有言論自由？怎有真正的法治？而教育的真諦是要下一代學會獨立思考，但中國是一個徹頭徹尾的極權國家，如何保有人民的獨立思考？

當然，羅湖橋以南的香港，我們本來相信一國兩制可保障我們的思想、行為、生活方式不變，但香港人慢慢發覺，實際上香港生活已經大變了。

暴力是果不是因

在雨傘運動期間，我們明白了，以前我們對中國的盼望只是一個良好意願，覺得大陸迎來開放改革，香港終歸會有真正的民主、自由和法治，但原來連這樣的趨向也慢慢地幻滅，我們被壓了下來了。佔中之後，我們的朋友佔中九子全被抓起來。

中共無所不用其極地用法律條文來鎮壓我們，令大學裡的知識分子不敢出聲，這些義憤會堆積起來，而經 2019 年的送中條例引發，一爆就爆出來了。2019 年 4 月 28 日，我加入反送中條例遊行的行列，只有十幾、二十萬人，當時以為肯定反對不了的，知其不可為而為之，我們用盡我們的方式抗議，政府也不理我們。不過，作為一個知識分子，你有權出聲，如果沒有權出聲的話，是很淒涼的境地。

接著的 5 月至 8 月，我暫離香港去旅行，在德國、法國，和一班關心香港的朋友看新聞，看著一百萬人遊行，接著兩百萬人遊行，接著 7 月 1 日的衝擊立法會，怎麼可以相信這種種會發生在香港！

面對勇武派，事實政府開心了，原來找到「暴力」證據，藍絲就會鋪天蓋地指責他們是暴徒。但其實「沒有暴政，哪有暴徒」？暴力當然錯了、是犯法，但這個勇武派是怎麼來的？你想想，一百多年前康有為、梁啟超這班的知識分子「和理非」，希望光緒皇帝推動戊戌變法，改革失敗後，那才出現第一個最要緊的勇武分子孫中山先生，他比我們更加勇武，是不是？我們看到

上世紀的革命史裡，在納粹黨的統治之下，法國的游擊隊不是更暴力嗎？暴力是果，不是因。

我知道很多朋友，他們不只是學生，也有白領，白天他們穿著很體面的衣服，很斯文地工作，但到了晚上就全副武裝。為什麼這班人會這樣？為什麼這班香港人會這樣？就是因為憤怒和良知！

歷史由人創造

我在學的時候，看了很多關於極權或反烏托邦的小說、電影，譬如歐威爾的《一九八四》，我以為那些已是過去式；我們中大的老師批評共產黨，我也以為已是歷史；捷克的哈維爾（Václav Havel）談及「無權力者的力量」，或是沙特闡釋為什麼法國人如此崇尚自由，這些思想我都以為已是過去的思辨，但原來全部都活現在我們面前。

我們香港人不甘心做豬，因為我們知道一貫享有的自由、法治在慢慢收縮！我們如果不自覺的話，靠什麼人來幫助我們？要相信歷史是由人創造，只要人做的話，慢慢會有改變。每個人醒覺，自覺參與這個運動的時候，其實已經參與著整個歷史的改變。

2019年的反送中運動，用了老子「上善若水」、「Be water」的靈活策略，以很多不同的方式去抗爭，做文宣也好、知識分子寫文章也好、在外國發表講話也好，香港很多人滲透了很多層面。當大言不慚的特首只有9%的人支持，我們就知道那91%的人是什麼人，當然不是要每個人出去抗爭，但現在網上通信系統那麼

厲害，有人講話，就有人看、有人流傳。當然，可能也有很多假消息廣傳，但香港人大多懂得分辨。

至於警暴問題，那是維繫極權社會一個很重要的工具及機器，他們不可能承認自己有錯。而現在整個香港政府完全不根據原則做事，三司十幾局的局長，個個像人辦[1]，他們自說自話，完全無人信服，等於沒有人看的CCTV、《人民日報》一樣。

不做幫凶不參與

我們可以靠什麼動力堅持下去？運動有起有落，我們有時都會累。因為瘟疫，一切似乎停頓下來，但不等於民憤可以被壓下一點，民怨背後的理由沒有改變。

現在香港人似乎連免於恐懼的自由都沒有了。我跟很多年輕的朋友講，持續抗爭的確有風險，要理解身邊朋友要養妻活兒的壓力，但在這個壓力之下，每個人仍然可以做一些對得起良心的事。我記住我老師勞先生經常講的話：「在共產黨統治下生活是無可奈何，但至少不做幫凶，不要搖旗吶喊，不要助紂為虐，不會阿諛奉承，至少如果還有能力可以說『不』的話，你不參與。」

其實我認識很多大陸朋友，尤其是哲學界的學者。過去那幾個月，我收到他們的信息，不過很明顯，一寫出來即刻被刪除，如果不是立刻快看的話，就消失了。在這麼強大的機器壓制之下，他們能夠做的事不多。這班在美國、在法國讀博士的朋友，

---

1 〔編按〕某人的所作所為是活生生的壞例子，壞到可以成為樣板。

他們知道，在中共體制裡，知識分子很容易買通，但不等於他們已心死。

反送中運動已種下種子，我相信只要繼續反省做事，哪怕是一小步，加起來很多。雖然高牆很大，雞蛋沒有用，但扔得多的話，仍然是有意思的。

我永遠高舉新亞精神，就是要尊重自由、尊重個人的發展、尊重理性。我們要做一個有道德的人，做一個對於我們自己、對於學術界、對於社會、對於世界負責任的人。

2020 年 3 月 17 日

$\left[\,2\,\right]$ 最終須問良知

香港大學醫學院教授袁國勇及龍振邦 2020 年 3 月 18 日發表文章〈大流行緣起武漢 十七年教訓盡忘〉，並於同日傍晚撤回該文，稱不希望捲入政治。外界認為，袁國勇與龍振邦雖以學術專業發表文章，卻觸動中共敏感神經，被迫撤回該文。

對於知識分子備受打壓，我覺得是一件很悲哀的事。對於知識分子而言，學術自由極其重要。同為知識分子，我亦一生追求學術自由和思想自由。

看見不公　不應沉默或中立

我這一代人中，總是以為打壓、不自由、勞役、強權等等，已成歷史。我們很幸運，從 1949 年到最近，都生活在一個很自由的地方，從小到大，我看什麼書，寫什麼東西，到我讀完書回來在大學教書，這麼多年來，沒任何人告訴我，什麼東西不容許教、什麼東西可以教、什麼東西一定要教。

我只有一個立場，教書不能隨便亂說，要有學術根據。在人類的歷史中，眾多的學者、科學家的思想不斷匯集，留下成果讓我們分享及繼續探求。當中，學術自由極為重要，是必須要堅守的。

香港經歷反送中運動，其實已有很多人夠膽講出事實。反對特首的不只是一眾「勇武者」，也有很多「和理非」，知識分子也好、普通小市民也好，都面對憤怒和良知的問題。

很多人因為看不下去而出聲，但出聲的時候，通常都會有後果。比如近來YouTube有「黃標事件」，或者不給你生意做，或者不給你下廣告。我們每個人在這個問題上都面對不同方向的打壓。但是，要是你不敢或不肯出聲，說自己是很中立的，或者根本沒有意見，一樣有問題：可能你在做幫凶。

不參與是種態度

2018年夏天在北京有個很重要的國際會議，就是每五年一屆的世界哲學大會。世界哲學大會是很大型的國際交流，在很多地方舉行過，上次是在雅典，每次都有六、七千人參與。當北京在2013年拿到哲學大會主辦權時，很多人都很雀躍，「啊，等於我們中國人拿了奧運主辦權一樣，會是一個盛事。」

我當過中大哲學系系主任，2018年年初我也被邀出席世界哲學大會。當時我以一句回話：「你會不會參加1936年的柏林奧林匹克運動會？」

為什麼是1936年？納粹在1936年舉辦奧林匹克運動會，是想在那個地方以壯他們的聲威，以及向全世界宣示他們納粹的威力。如果2018年我去北京參加會議的話，那只是幫凶，根本就是endorse（贊同）中共是所謂哲學的一個領頭、領導的單位。

我和來邀者說，不參與是一種「態度」。在我們中國也好、

西方也好，哲學最核心的價值就是自由。一個地方沒有真正學術自由、沒有思想自由、沒有任何言論自由，一個不尊重自由的地方，有什麼資格去舉辦一個世界哲學大會？

白色恐怖滲入大學

我在中文大學度過很多年，做過中文大學哲學系系主任，以及開拓中文大學的通識教育，當通識教育研究中心主任十四年了。我半生在中文大學，在那段時間基本上沒受到監視，就算有的話也很間接，或很隱晦。

至少直到我從中大教席退下來的時候，我可以大膽的說，中文大學還是一個真正有學術自由、尊重言論自由的地方；我們的老師，任何他們想的事，任何他們教的教材，都不需要審查、不需要禁止。

但是我知道，從很簡單的升職制度下手，就可以將大學教授或學者的言論或學術自由慢慢地收縮，也很多方法使眾多老師不敢再多講中國大陸的事情，這就是 self-censorship（自我審查）。

當然，大陸學界的舉報文化，香港暫時仍沒有。反而我剛剛讀完博士去台灣大學教書，那時蔣經國仍未取消戒嚴令，的確有學生、有人在聽我講什麼，以作舉報。但在取消戒嚴令之後，台灣開始發展民主，已沒這種事了。以香港來說，如果有舉報文化，令教授、學者都懼怕的話，就很淒涼了。

免於恐懼的自由

在公民社會裡，我們應有免於恐懼的自由。白色恐怖使我們覺得，這些自由慢慢在收縮，慢慢被人壓著。無所不入的維穩組織裡，花這麼多錢來維穩，我們現在一言一語，他們怎麼可能不知道？不過就視乎那些言論是否夠影響力而已。

我覺得，共產黨可能不需要對付你，由你自己設想這麼說的話有 ABCD 後果，這些可能已發生了。如果你夠膽敢說真話的話，你的學術前途可能會有麻煩。不過，我暫時未聽過中大同事這樣出現問題。

直面良心說「不」 體現真正人格

如何去面對強權？怎麼去抗爭？每個人有自己的困境。如果你不需要養妻活兒，一個人又沒有家庭負擔、不用付房貸，可以做的事當然很多，但也要理解到每個人背後的苦衷，就是有人在強權面前默不作聲，也不需要馬上和那人割席，敢言是不容易的事情。

我們每個人都承受不同方向的打壓，知識分子也好、普通人也好，最終面對的就是良知的問題，這很重要，因為這真真正正的考驗每個人的人格，和每個人怎樣去理解自由，每個人都需直面這種試煉。

2020 年 3 月 24 日

[3] 論政、講真話

　　政治本是所有人都要關心的事。如果有人說我們身為教師，在學校裡教學不涉及政治，這說法根本令人難以想像。

　　西方哲人亞里斯多德主張，教育的目的是「教人做一個自由的人、做一個好公民」，他曾說過，有哪一個人說自己不參與政事、不參加討論城市裡發生的事，他就沒有資格做雅典人。

　　二次大戰後，德國哲學家、海德堡大學首位校長雅斯培（Karl Jaspers）坦言「大學是社會的良心」。如果我們不參與政事、不去監察政府所做的事情，怎可叫有良心？如果大學叫我們不要關心政治，就完全脫離了現實。我一輩子都在大學裡讀書、研究、教導學生，我知道大學教授對社會的責任、對廣大民眾的責任。恩師、教育家勞思光的教誨「要和良心對話，在面對不公、不公義的時候，我們要發聲。」也深烙於我心。

　　現在中共控制住了大多數的輿論，大家都不敢發聲反對。當一個謊言說一千次、一萬次，大家便相信了。我希望自己站出來講真話能帶動更多人勇於出聲，揭穿謊言。當一個人說皇帝沒穿衣服，大家覺得他可笑，但當二個、三個，很多人都說出真相時，更多人會知道不只我眼中的皇帝沒穿衣服，令我和更多人都願意說出來，最後大家便會知道真相。

自由像空氣，我們沒有空氣會慢慢窒息，如同我們在瘟疫中慢慢覺得危險，只有失去了，才覺得自由可貴。

政治是眾人之事

亞里斯多德說過，人是理性的動物，也是社會政治動物。我們一定會涉及政治，只有所有人都去關心城市裡發生的事，才可以正確理解管治者應怎樣去管治人民。還有一個重點，我們的權力如何分配？我為什麼要給人管治？以前皇帝就是國法，國法就是皇帝，所有事都是皇帝說了算。過去二、三百年裡，西方國家的變化，不再是皇帝「說了算」，最重要是人民要管理自己的事，西方國家既講人權，亦重視所有人參與政治的權利。國父孫中山先生也主張「政治」，「政」是眾人之事，「治」是管理之事。人民要管理自己的事，孫中山先生稱之為「民權」。

明末清初是一個學術被嚴重打壓的時代，即使如此，儒學家黃宗羲所著的《明夷待訪錄》仍敢發忠言，論及皇帝應該怎樣做、臣子應該怎樣做、也談到翰林院的知識分子需要參與政事，要給皇帝意見，他說不可能不參與。

大學是社會良心

現在很多學者都選擇沉默，不想捲入政治中，你可以看到它的悲哀之處。

我們回望歷史，納粹黨於1933年崛起時，很多大學裡的學者都噤若寒蟬不發聲，他們的學問都是一流的，在大學的象牙塔

之外的事卻不是他們關注的事。因為不發聲，他們就看著人民、政府、政權慢慢地被獨裁者所掌握，他們當然是後悔的。

第二次世界大戰之後，海德堡大學的校長雅斯培是一位重要的德國哲學家，他說過大學的目的不單單是傳授知識，不單單要創造知識，還有一個十分重要的目的，就是參與、討論及批評社會之事，他說大學應該是社會的良心。

什麼是良心？如果我們不參與政事、不去監察政府所作所為，怎可叫有良心？如果大學叫我們不要關心政治，就完全脫離了大學的初心了。什麼情況才會這樣呢？只有在極權之下，一個不尊重人民的價值的極權政府才會說這種話，恐防我們敢於把真話說出來。

2020年，全世界正受著瘟疫影響，可以看清楚一些世界領袖說話的風範，令人感覺很「禪」。先不說我們那個只有9%人民支持的、770票選出來的特首林鄭月娥，我們看看另一個1700萬票選出來的德國總理梅克爾，她的演講為什麼令人感動呢？因為她很誠懇地說，德國是一個公開的民主國家。民主是什麼？德國政府一切的政策都是公開及開放的。她說，當我們知道很多市民入院治療時，最重要的是我們要記住這些不是統計數字，不只是死亡人數；他們是你的爸爸、你的祖父母、你們的妻子、你們的丈夫、是你們的朋友。她說每一個人都很重要。一個民主社會會關心每一個人，而不是只關心面子問題、經濟問題。

一個民主國家關心每一個人，是德國經過很多悲慘的經驗和歷史總結得來的結果。當納粹黨看猶太人不是人、他們（納粹

黨員）就可以殺掉他們。當一個政府理解每一個人都是人的話，態度會完全不同。因為每一個人都擁有人權，我們不單單要有生命，更加要有自由。

正如美國獨立宣言所示，我們有追求幸福的權利，這是不可推翻、不可剝削的權利。在現代政治中，什麼是憲法？就是要追問被統治者為什麼要受統治者統治？要反思統治者與被統治者的關係。

18世紀哲學家盧梭提出「社會契約論」，認為君臣之間應有一個協議，憲法就落實了這個社會契約。在美國，華盛頓趕走英國人後，他沒有做皇帝，他跟開國功臣草擬憲法，要保障人民的權利，同時讓人民監察政府。中華人民共和國的憲法也說保障人民自由等等，但只講是不行的，要做出來才行。香港基本法也應該保護人民的權利，要有監察政府的權利，不然有什麼意思呢？

謊言千次還是謊言

極權國家最要緊的是對媒體的控制，在媒體的 Propaganda（宣傳）上，所謂「當一個謊言說一千次、一萬次，大家便相信了。」當年納粹黨已懂得利用電影和傳媒作宣傳，現在中共更鋪天蓋地的宣傳，控制住了大多數的輿論，所以大家都認同皇帝是穿了「新衣」，都不敢吱聲。當然我們知道亦理解當中的白色恐怖，敢言就會有後果。但是身為讀書人，應懂得如何分辨真假、是非黑白。正如印度詩人泰戈爾（Rabindranath Tagore, 1861-1941）於其詩集《漂鳥集》所言，「虛偽永遠不會因為它自權力中生長而

成為真實。」（The false can never grow into truth by growing in power.）就算官媒說什麼也好，你心裡曉得什麼是真，什麼是假。儘管在一個很封閉的社會裡，我知道很多人民都知道真相的。比如2019年香港的社會運動，我在國內的朋友也翻牆看很多不同的言論，不是官方說什麼就信什麼。而為什麼仍有那麼多人相信官媒呢？我認為那些人不敢說自己不相信，即使知道官媒撒謊，也不敢站出來拆穿謊言。

我覺得這個年代，一方面悲哀，一方面難過。為什麼我們香港人在一個尚有自由的地方生活，也不願意站出來講真話呢？

知識分子要發聲

我曾受教於勞思光教授，他說「我們要和良心對話，在面對不公、不公義的時候，我們要發聲」。他是一個知識分子的典範，他反過共產黨、反過國民黨，他對香港九七前途問題發過聲。知識分子不應只在大學的象牙塔裡埋首研究學問，他要承擔社會責任。我是不吐不快，我希望所有受過勞思光老師教導的同學，都敢於站出來發聲。

我一輩子都在大學裡讀書、研究、教導人，我知道大學教授的責任、對社會的責任、對我們廣大民眾的責任，所以說到要關心中國，關心中國文化的發展，不是一種對歷史的關心，而是當下就要去發聲。

我最近再看孫中山先生在一百年前苦苦追求的目標，有沒有真真正正實現呢？兩年前我去南京中山陵，發現很多人只是圍看

孫中山的像，忘記了他背後寫的字的含義。他最重要的信念都寫在那裡，全用繁體字寫上孫中山所相信的自由、民權、選舉，似乎沒人細看。

一位台灣好友跟我說，孫中山生於廣東省香山縣，去了香港讀書，到全世界搞革命，死後安葬於南京，但是遺澤在台灣。很明顯，孫中山說的民權，例如選舉權，的確在台灣落實了。台灣每個人有參與政治的權利。

台灣做到的事，為什麼我們香港做不到呢？很明顯是權力問題。我們的當權者，沒有真真正正理解到做當權者、做特首的權力來源，責任在哪裡？（林鄭月娥）777張票就可以成為香港最高的統治權威！請看看，台灣蔡英文得到817萬票，德國總統得到1700多萬票，他們是人民選出來的政府，香港人呢？沒有選出特首的選舉權。兩者當然很不同。

香港2019年底的區議會選舉，顯示香港幾百萬人熱衷參與政事，儘管只是地區事宜，也是重要的。多討論，多參與，民主政治不一定每個人都對，不是擁有權力的人就可以為所欲為。我們要去討論、分析，最終我們最關心的是每個人的生活，不單單是我和你。我們要關心整個社區、整個社會、整個香港，我想這是很重要的。

珍惜當下僅存之自由

區議會選舉泛民大勝，無奈香港警察最近也拘捕了不少區議員。這是一場很長的仗，白色恐怖一浪接一浪。

　　我想現在香港仍然算有言論自由，學術自由。自由像空氣，我們沒有空氣會慢慢窒息，只有失去了才覺得自由可貴。因此，我們要想想當下如何去爭取，如何真真正正去運用自由的權利。

　　我相信歷史仍然是人創造的，我們沒有一個必然的歷史規律是必定如此的，這是很重要的。而這個疫情也一定會過去的。人類經歷了那麼多次瘟疫，比如鼠疫、大瘟疫等等，都一定會過去的，但最重要的是，在這個時刻要反省人與人的關係，反省人與自然的關係，反省每個人與社會的關係，這些很重要，我們全都要去深思。

2020 年 3 月 28 日

[4] 明辨真相與假相

　　香港中學文憑考試2020年5月歷史科的考卷捲起風波，其中試題「1900-45年間，日本為中國帶來的利多於弊。」惹來中聯辦、黨媒瘋狂抨擊，原來在它們眼中，此課題不容學生討論，其後教育局向考評局施壓取消試題的做法，更令教育界嘩然。

　　這條歷史科試題，令教育界比如教協成員撰寫了很多文章，反覆討論當年日本和中國的種種利害關係。隨著正、反的觀點陳述，甚至引述毛澤東也曾經正面評價當年的中日關係。但問題不在你如何評價正、反觀點，而是如果作為一個學術的理性討論也不容於當權者的時候，你講的任何觀點，基本上都是錯誤的。

　　我一直堅信，教育的目標是希望學生懂得獨立思考，這也是中學通識教育其中一個重要宗旨，同學要學會處理多方資料，加以分析，然後做一個獨立的評估等等。明辨是非，理解真假，這是教育的良好意願，也是我們辦教育的希望。但一些當權者，不希望我們明辨是非、善惡，不希望我們能夠分析真假，因為如果你講的東西不符合他所言，那就是錯。

真相由當權者預先設定？

　　現在的香港，好像歐威爾的小說《一九八四》裡的情節，

主角溫斯頓被拷問,拷問者豎起四隻手指出來問他,「多少隻手指?」溫斯頓答:「四隻」,隨即遭電擊;答「五隻」,也遭電擊。溫斯頓問:那你說是什麼?拷問者答:不是說什麼就是什麼,是聽我的話。豎起四隻手指時,我說五隻,你就要說五隻;說六隻,你就說六隻。也就是說,真相不是經過我們自己思考、反省得來的,真相由當權者預先設定。

在監警會報告的記者會,特首林鄭月娥身後的布景板寫著「香港真相」。我沒見過這麼大的一個諷刺,她說香港真相,她正在講的是香港假相,我只看到她和一些官員群丑亂舞。試題風波,當中聯辦也出了聲,香港政府基本上是聽話而已。

一個領袖,怎樣也更應該有一些修養。一個特首竟會說我們的教育是「冇屬雞籠」[2]。這是一個最侮辱性的言語。「冇屬雞籠」指什麼?即是說我們教育界的老師、學生都是雞?這是奇恥大辱。

從特首口中吐出這句話時,她還有什麼公信可言?她說的話,等於《人民日報》一樣,它說A,其實不是A,她越講真相,其實愈沒真相。這令整個社會,整個香港以前相信的真相的公開性、透明度,我們法治的基礎全都沒有了,全都遺失了。唯一有的是,一步一步的繼續強權打壓,繼續成為一個完全的威權社會。我想,他們或者很怨恨鄧小平,為什麼要搞一國兩制?從頭到腳一國一制就好了吧!

---

2 〔編按〕廣東俚語,沒有門的雞籠,歇後語為「自出自入」,即無法管、失控之意。

中大通識教育遭汙衊

2020年初，中文大學的通識教育科「中國文化要義」中有一條題目，以一個警長講的話，然後叫同學用法家的思想去評論。這題目被人指為有仇警意識，而4月17日的《大公報》更指，美國在中文大學以中美中心操縱其通識教育，說是荼毒學生，為害極大。

這些當然是睜大眼睛說的假話，文章提及2012年浸會大學一個關於香港教育的研究，叫做《香港藍皮書》，當中有一章說中文大學過去多年的通識教育改革，都是美國人操縱課程設計等等。《香港藍皮書》發表時，我剛退休，加上我曾經在中大通識教育中心當主任多年，我當然知道那是假話。當年，中大通識教育部向有關當局強烈抗議，使得浸會大學設立特別調查委員會，證明負責研究者的指控沒根沒據，浸大也向我們道歉了。完全沒任何證據的指控，居然還有人多年之後仍拿出來再講。

這些無理指控仍存在，可能有一天就會向我們開刀。現在香港的情況，從監警會報告、歷史科試題風波、六一二「暴動」問題，到DQ（取消資格）郭榮鏗參選資格，我們看到強權世界的張牙舞爪，它抓著權力，就指令我們應該或不應該想什麼、做什麼！這樣的情況下，我們是否就甘心跪下、臣服呢？我們學術界也好、知識分子也好，有沒有真的根據自己的良心去做事呢？見到不平的事，是不是就默不作聲？尤其是法律界的朋友，如何在強權、不公義下，仍做公義的事呢？的確困難。

大學教育是盤大生意

香港的學者，在此時代應扮演一個什麼角色呢？我不是在譴責我的同事或朋友，有些人說，我敢言是因為我已退休，不擔心在學術生涯有什麼後遺症，不需考慮升職的事宜。這個說法很容易理解，每個人都有自己的擔當，但我覺得這不是個沉默的理由。

現在，大學教育成為大生意，知識成為一種可供買賣的商品，講師、教授只是大學的雇員，把知識教授予「顧客」──學生。以這模式來看，一個好的學者，只需教學評核挺好，每年出版一兩篇學術論文，做一下研究就夠了。不需要關心什麼香港問題、文化問題，也不需要關心學生，那都不是你的職責所在。但是在我看來，身為大學學者，你就要關心學生，關心這個城市地區，尤其是香港出生的學者，他們在大學教書，就應該有種責任、有種態度。我認識的朋友裡，不是不想講真話，而是懼怕白色恐怖，因為當權者可以不同的方式打壓你。

我在中文大學教書二十多年，做教授，我覺得中文大學和香港其它大學仍然很尊重學術自由，直至我退休時都是。我的同事對我說：「你不要那麼天真，你以為大學沒有職業教授在監察我們？」那些人現在還沒出來，但會慢慢浮現，以我們的恐懼為目標。

毛澤東認為學者是「臭老九」，以為我們很容易受控制，知識分子就是一張嘴，只能說而已。有很多方式打壓你──不給你升職，或者不加薪，或者在研究裡做些很簡單工作，那麼你就會

懼怕，隨之臣服。我覺得那很悲哀。

我一些志同道合的朋友說：「讀聖賢書，所學、所做、所為何事呢？」尤其是中文大學哲學系裡有我們很好的榜樣，我們以前的唐君毅、牟宗三、勞思光等幾位老師，他們的風骨，他們身為知識分子，對真相、對知識、對真理追求，我們很多人都受他們身教。但是，問題是我們默不作聲，或者在幾年前可能沒問題，但是現在強權已經出現了，我們怎麼辦？

香港「三民主義」——順民移民暴民

孫中山的三民主義，是民生、民族、民權。現在香港的「三民主義」，是順民、移民、暴民。我有朋友說，移民，我走不了；順民，我不願做；暴民，又不夠膽量。

我想，心中有火，就不想做順民，但是不做順民，如何適應時局呢？你要移民，未必成行，因為有很多掣肘問題；暴民更加不夠膽當。這情況鬱結在心，我們是否無能為力呢？

我們的前輩勞先生、唐先生、牟先生，他們在內戰時，在最艱難時會省思。比如我們佩服的一些國外學者，美國的猶太裔學者漢娜‧鄂蘭（Hannah Arendt, 1906-1975），她在二戰戰火連天的年代生活。的確，危機令安逸的夢在我們的生活裡消失了，但危機也給我們機會，令我們更著力反省如何面對當前的世界，如何更加有力量，更加肯定我們對學生、對自己的學術負責任。每個人要信的，就是自己的良心，和我們學術標準。

民族主義者最會扣帽子

中共最會挑動種族仇恨，以民族主義來扣帽子最容易、最便宜、最好用，一講就十四億人口，一說就是偉大祖國，一說就是中國四千年文化，這些我們最大的驕傲，但是不是以這大帽子壓下來，任何人就因此可將黑說成白呢？或者黑不說黑呢？

我們看到，這個世界多少人罵川普，多少美國新聞傳媒如《紐約時報》、《華盛頓郵報》將他罵得狗血淋頭。那我們看看中國國內，有沒有一張報紙夠膽像罵川普那樣罵習近平呢？沒有一個傳媒夠膽量吧！整天說四千年的文化，說十四億人口，這就了不起？不是說你的人多，你做的事就會是正確的。

有人繼續要做「中國夢」。我有朋友說得好：「你做你的夢，但是你不可以逼我做你的夢。」我們睡覺不一定能做一樣的夢啊。如果這個夢是強加下來的，就罔顧了每一個人獨特的人格、獨特的個性、獨特的主體。

大陸人敢怒不敢言

中國共產黨有多少年啊？七十年。它會長久下去嗎？在中國二、三千年裡講中國文化發展的時候，我們講廣東話，看唐詩、宋詞，我們看小說，看思想家教我們反思什麼。這些和共產黨有什麼關係呢？

大家都知道在文化大革命時期，中國共產黨是怎麼摧毀中國文化。後來覺得不行了，就找一些聖人出來塗脂抹粉，像孔子學

院，現在變成了一個大笑話。它以為德國有歌德學院，中國有孔子學院。但是德國的歌德學院不是搞統戰的。

認同中國文化，不等於認同中國共產黨。在我們當前，還有一個值得我們自豪的民主、自由的地方，就是台灣，孫中山的革命理想在這小島實現了。

現在，四面八方的人都對中共政權不滿。如果說中國不等於共產黨，你就認為這說法傷害了民族情感，傷害了十四億人的感情，那我沒辦法和你去辯駁。我想大家都知道，官方的言論，和官方後面人民的真正想法，可能很不一樣。

這麼多年，我理解到國內的朋友大都可謂是精神分裂的。要公開表態時，就用大陸官方那套說辭；但私下說話時可大不同。這個民怨、民憤，什麼時候會爆發出來，我們不知道。我不知道我有生之年能不能看到，但是我知道，中國歷史不只是過去這五十年、七十年。看世界歷史也不會只看過去七十年，我們可從悠長的歷史裡面去理解。

一個自由的地方，是可讓我們每個人無懼無畏地說出自己心裡話，真真正正講人話，不打官腔，不是依著個劇本去朗讀。如果我們在香港還可以自由地說話，這自由就是最寶貴的、最值得珍惜的。

2020年5月18日

[5] 活在真相中

2020年6月30日，中共強推的《香港國安法》生效，將香港帶入文革時代，港人面臨前所未有的「白色恐怖」，但我堅信，如上世紀納粹希特勒、前蘇聯獨裁者史達林的滅亡，以獨裁、強權統治的政權，以打壓令人民噤聲的政權，不會永遠長存下去。看歷史就知道，以謊言維持極權，是有一定時限的。

如掀起天鵝絨革命、之後當上捷克共和國總統的哈維爾所言：在這時代要當一個「人」，就得活在真理裡。[3]

香港人手無寸鐵，毋須與殘暴的港警正面對抗，面對極權，可以用很多種方式傳播真相。很多人畫畫、寫文宣、用戲劇、用寫作、寫小說，以很多方式講人話。絕對有很多很多朋友都在做同一件事，就是拒絕謊言，敢於講出真相。

但講出聲，這就是一個重要的態度！

文革重臨　但港人非無知農民

中共要強行將《香港國安法》立法的這一天，任何一個有良知的、有感情的、對香港有歸屬感的人，一定有種想抱頭痛哭的

3　Vaclav Havel, *Living in Truth*, London: Faber and Faber, 1989.

感覺，因為香港正面臨真真正正的末日。

我那天聽到川普談及《香港國安法》，他說二十多年前的一個滂沱大雨的晚上，看到英國國旗的下落，五星旗徐徐上升，他覺得香港會迎上中國的傳統，加上香港的獨特性，可以有一個更加美好的將來。沒想到大陸不是帶同香港向前邁進，而是將香港帶回去幾十年前的文革時代，香港的「一國兩制」即將變成了「一國一制」。

所有香港的所謂高官，全都鸚鵡學舌，重複大陸官方想說的話。即使他們許下無數的保證，很多有識見的人士，法律界、政界、商界都有很多批評，這種繞過我們的立法系統強行立下的法，根本完全違反《基本法》，違反「一國兩制」這個原則。

我們只要堅持活在真相裡，同時保存希望，總有一日，這些為虎作倀的人，這些幫兇，會有歷史去批判他們。我們要珍惜香港，珍惜生命裡的東西。我們不需要一起去陪葬，因為歷史是不會這樣發展的。

身為生於香港的讀書人，即使將我們擺放於恍如文革的時代，香港人卻不是文革時代的無知農民，香港人可以自由接收資訊、教育程度高，我們會讀歷史、思辨的書，我們知道現在發生何事。

以史為鑒

最近美國出版了一本書，名為《暴政》（*On Tyranny*）[4]，探討在20世紀20至30年代，知識分子怎麼去應對德國納粹黨的興起，

納粹黨慢慢一步一步地利用在國會通過的法律打壓知識分子。再看近一點，20世紀60至80年代的捷克，當時的劇作家哈維爾身為一個文人，怎樣通過公開聲明、草擬憲章，及不斷發表劇作與批判文章，從而掀起天鵝絨革命，對抗那個極權政府，之後1992年迎來渴望已久的民主，1993年哈維爾更當選捷克共和國總統。

面對極權，我們好像是無能為力，但看看希特勒、墨索里尼、史達林，或者再早以前的羅馬凱撒大帝，一切用獨裁、用強權來統治的人，他們唯一的目的就是靠打壓，不讓人民出聲，以為強迫所有人聽一樣的話，講一樣的東西，就握有一切「真理」。但是，人心是不是誠服呢？看一下歷史，我們仍有理由相信，一切極權，一切用強權打壓人民的政府是不能持久的。

平庸的罪惡

很多香港的高官、警察，個個開口閉口就說「依法辦事，依法執法」。但我要告訴他們，20世紀60年代，納粹黨的一個大罪犯艾希曼（Adolf Eichmann），在阿根廷被人抓到以色列審判。美國哲學家漢娜‧鄂蘭去看他受審，之後寫成《艾希曼在耶路撒冷》（*Eichmann in Jerusalem*）一書。這個大罪犯，是不是一個惡魔呢？鄂蘭認為，艾希曼只是一個遵從命令的官僚，執行the banality of evil，即平庸的罪惡。

---

4 〔編按〕*On Tyranny: Twenty Lessons from the Twentieth Century*, by Timothy Snyder, Tim Duggan Books, 2017. 中文版《暴政：掌控關鍵年代的獨裁風潮，洞悉時代之惡的20堂課》，劉維人譯，台北：聯經出版，2019。

平庸的罪惡是什麼意思呢？就是說，這個人下達了無數命令，送了無數人去集中營，但他認為這只是依法做事，「我聽指令，不關我事，我沒拿過槍，沒殺過人，我有什麼罪呢？」他簽名下令殺了幾百萬人，但這人閒時會讀哲學書，聽巴哈的音樂，在家裡做好爸爸，他怎會是個惡魔呢？其實，惡魔不是天生的，他缺了一樣東西，他拒絕自由的思考，他做的所有事就是「做別人要我做的事，別人叫我犯法那就犯吧，不關我的事，是上級做的。」但人是不是應該是一個傀儡？只聽從指示去行事呢？

民主發展　重視每個人的價值

最近我還看了一部1961年拍的電影，叫做《紐倫堡大審》，這部片很精彩，描寫1948年開審一批在納粹黨時候做法官的人，把他們當作戰犯來審判，即是法官審法官。

其中一名受審者，曾經是德國最重要的法官，他知道納粹做了很多壞事，但他為納粹政權當法官時，並不知道那麼多。主控的法官最後說，「是，但你承認了，當你去審判的時候，你早就知道被你審判的人不需要任何證據就判有罪的時候，你已經在犯罪了。」

我經常說，要做一個「人」，為什麼說「人」重要？兩百年來，民主發展最重要是體現人的價值，民主意味著每個人都計算在裡面，這樣才是最重要的。也就是說，如果當權者覺得每個人只是數字，就像在納粹黨時期，猶太人被當作一個號碼，這個號碼就隨時可以被消滅掉了。

為什麼我們覺得共產黨殘忍呢？因為中共不知道人是最重要的，不是一般數字上的人，是每一個「個人」，如果對個人不尊重，只視每個人為工具，他也是對自己不尊重，沒有自我，當然沒有人性了。

在這個時代要做一個「人」，我記起哈維爾說「活在真理裡」。

港人「大逃亡」

港版「國安法」推出來後，很多港人覺得很恐懼，現在這個「大逃亡」比起97年，或者89年，或者再早一點1967年香港暴動的時候更厲害。97年的時候，大部分人仍然相信香港還有前途，相信一國兩制真的能保障我們的生活，但現在不行了。

香港有獨特的文化，如果失去了，我們會怎樣呢？我看到無數的普通人，他們不是讀很多書，也不是賺很多錢，只是簡單的對於當前香港的現象，覺得不公義。憤怒，就要發聲。

但你一發聲，他們抓捕了你，比如2020年5月24日的遊行，香港警察一捉就抓捕了三百多人，可能他們不告你，只是關你三十六小時、四十八小時，就是要嚇你，要你陷入恐懼。

那我們怎樣活呢？第一，我們不需要面對面對抗，因為沒有意義，不管政權說什麼，我們只笑一下。微笑可能是一種重要的方式，或者是如果我們能夠做的，就寫些東西，持續發聲。身為學者，身為知識分子，讀了這麼多年的哲學，讀的那些康德、漢娜・鄂蘭，我們在課堂、在學術研討會上討論的眾多問題，突然間就橫在面前，活生生拷問我們！怎樣面對？文天祥說過，「時

窮節乃見，一一垂丹青」。當你面對這樣的問題時，是跪下投降呢？抑或是站起來表達我的不同意見？

不做鴕鳥繼續發聲

我的老師勞思光，他一生做一個公共知識分子，他對共產黨、對國民黨，是如何站在一個批評的態度。勞先生身材很矮小，體重不會超過一百磅，弱不禁風，但令人深感尊重，因為他面對強權不服輸，他不肯在強權下膜拜，他說過「不做幫兇」！我們也不要做鴕鳥躲在學術的象牙塔裡，身為知識分子，見到不公平事，我們就要在不同方位去發聲。

我覺得，香港的知識分子可以做得更多，當然，有很多的個人理由令人默不作聲，面對的恐懼或者什麼後果，但我覺得當前面對這樣危機，我們應該發聲，我們應有立場，不要在如此打壓的時候，就乖乖全部接受。

我只不過是站在立場上不認同這個政府的所作所為，如皇帝的新衣，無論講一萬次，無論有多少人講的謊言，謊言就是謊言，這就是為什麼哈維爾說我們要活在真實裡！

篇末的相片，是我 2019 年去南極旅遊照的，這張照片是日落呢？還是日出？我回答，「日出日落都無所謂，如果說日出，就表示我們的光明在前面，日落就是更大的黑暗在我們的前面。」我用拉丁文寫了一句話，就是：「我們要在真理裡面活著，同時要保存希望。」

「在真相裡面活著。」是哈維爾說的。「我們要繼續保存希望，

不要失去希望。」這句話是歐巴馬說的,我亦以這態度面對當下此時代。

我們對現實有很多反省,最重要是我們要拒絕謊言,敢於說出真相。當然我們要計算一下我們的成本,不要突然衝動走出去,因為現在執法人員手執《國安法》,他們有更強大的工具打壓我們。

香港真的不是我們以前的香港。我在香港至少生活了六十多年。我是 1949 年出生,跟共產黨一起長大,看著香港的急速變化,我父輩的辛苦給予我們機會,那些年代我享受了很多很多香港的好處,現在中共卻將之抹殺了!但我不覺得我們需要一起去陪葬,因為歷史發展是不會這樣的。

看了歷史就知道,這種謊言、這種極權有一定的時限。在這時限裡,我們只要堅持,不要放棄,在真相裡活著,同時保存希望,總有一日,這些為虎作倀的人,這些幫兇,會有歷史去批判他們,或許我們看不到,但我仍然相信人性裡的理性與良知,殘忍的惡魔不會永遠長存的。

2020 年 6 月 1 日

PART
3
——

存在危機

[1] 自由與存在危機

我從沒有想過，我的晚年是可以如此悲壯的！我們這批二次大戰後出生、在香港長大的人，沒受過戰亂的顛沛流離、政治運動的極權打壓、獨裁政府的殘暴管治。然而，數十年來所享受的自由、法治和繁榮，突然在過去幾個月中慢慢在眼前消失了。我們正處於警權統治和大瘟疫中，我們的公民權利被打壓，人身安全受威嚇。多月來的抗爭行動是反抗獨裁無能的港共政權，我們當前的災難是三成天災，七成人禍，香港七百萬人全受毒害，世界也墮入無間地獄中！

6月30日通過的國安法，更將香港全盤摧毀。香港變得跟大陸任何一個城市一樣，由極權統治。我們還可以做什麼？我們痛哭悲憤之餘，更要想如何再抗爭下去？

我不想在這裡從政治和社會層面談論這場我們一生從未碰過的大災難，因為朋輩已寫了不少出色的評論文章。我想說些對當前處境的存在感受。

上世紀60年代，少年時讀存在主義的資料時，我接觸的是從台灣傳來的思想，如王尚義的《從異鄉人到失落的一代》，漆木朵（孟祥森）的《幻日手記》。在香港是看《大學生活》胡菊人介紹存在主義的文章，他的〈存在騎士對抗理性禿鷹〉提到齊克

果如何反對黑格爾，我今日仍然記得。我從這些書本文章，知道什麼叫做「存在危機」。唐君毅老師說這危機是人反省自己的生命意義時，覺悟到現代人一無所靠，是以存在「上不在天，下不在田，外不在人，內不在己」四不掛搭的情況中：上帝已死，大自然被染汙毒害，文化政治社會錯亂，自我價值迷失。我們就是處於這存在危機中。為什麼要繼續生存下去？卡繆不是問過：最重要的哲學問題是為什麼不去自殺？在這荒謬世界上繼續生活下去，要麼就是覺得這是多餘無聊的問題，人生繼續吃喝玩樂，平安一世便可以了；要麼便認真面對這嚴肅問題，我們是否有足夠理由、意義和價值，繼續每天生活？

但這些全部是個人的理論問題，是多愁善感，年輕人想得太多了吧？念大學的目的是實踐「四仔主義」[1]，不是嗎？「存在危機」？是為存在主義一課寫的論文題目吧？

當然，60年代的兩次香港暴動，加上大陸文化大革命的殘暴事件，給我們年輕人對自己的身分帶來很大挑戰：我是誰？香港人是什麼？中國人是什麼？但這些問題對當時的生活沒有重要意義，因為繁榮、富庶、最有特色的香港創造力出現了，從70年代開始，香港起飛了。

50、60年代香港是樂土，經濟還未起飛，大部分香港人是從北方避秦流亡來到，在這「借來的地方，借來的時間」和平地生

---

1 〔編按〕香港經濟起飛後，市民心目中理想的生活是置業（屋仔）、結婚（老婆仔／老公仔）、有車（車仔）、養狗（狗仔，亦有說是孩子「BB仔」）。

活，父母輩皆努力工作，維持生活。我們年輕人只要努力讀書，便可以出人頭地。不需要關心政治、文化，學校沒教近代中國和香港歷史，世界歷史也知道不多，不掛心共產黨和國民黨，金門馬島炮戰[2]是幾百里以外的事，與香港無關。港英殖民統治對我們沒有太大的打壓。韓戰、越戰是外國的事，文化大革命也是遙遠的悲劇。我們活在這安全「四不掛搭」的世界中，儘管沒有民主，但我們沒有埋怨，儘管大部分人都貧窮，但我們腳踏實地努力工作生活──因為我們有一樣作為中國人幾千年來都沒有的東西，就是自由！

但是，這個說了無數次的香港神話，現在幻滅了。

沒有神話，也再沒有借來的地方和時間，我們是慢慢的，也是突然的覺醒起來了。「存在危機」不再是年輕時代生命情調的感性問題，不是存在主義的理論問題，而是我們每一個香港人現時面對的嚴肅問題，在這個身體和精神被全面打壓的時代，我們如何有意義地活下去的問題。這不單是指繼續抗爭還有什麼意義的問題，因為我們的覺醒不單單是政治層面，而是人自身存在的問題。

政治危機帶出存在危機：我究竟是什麼人？我還是自由的嗎？我還可以相信什麼？我還能夠做什麼？我還可以理解什麼？活在這荒謬絕倫的香港還有意義和價值嗎？

我一生在哲學的學術世界生活，幾十年讀書和教學，在安定

---

2 〔編按〕馬島炮戰：英國與阿根廷為爭奪福克蘭群島的戰爭。

的大學象牙塔工作，以為哲學只存在於課堂和研討會中。這當然是錯誤的。哲學是在生活中，存在危機不是理論問題，是日常生活的問題。談論哲學而不能應用實踐在具體生命中，這便是業師勞先生所說的文字遊戲而已。

　　以上文字是破題，我會繼續寫下去。

2020年8月21日

[2] 真相

　　我們的存在危機是被當前的政治狀況和武漢肺炎逼使出來的。

　　我沒有想像過幾十年來讀過的哲學書、文學作品、看過的電影，對我們所處的荒謬紛亂的世界有如此的存在意義。我以為沙特的《嘔吐》、卡繆的《反抗者》、卡夫卡的《城堡》、歐威爾的《一九八四》等等，只是小說而已，沒有現實意義。看二次世界大戰的電影，如《辛德勒的名單》、《紐倫堡大審》等有關納粹殘暴對待猶太民族的罪惡，是過去的故事，21世紀是不該會出現的！哈維爾的《無權力者的權力》、鄂蘭的《論革命》和《平凡的邪惡》等書籍，不過是理論之書，與我當前生活無關。

　　但是這荒謬、殘暴、非理性、虛偽、埋沒良知、強權當道的世界竟然在21世紀的香港出現了！

　　這世界真的是這樣荒謬嗎？我們是不是被人欺騙，被外國人利用，被傳媒誤導，被政客教唆？我們對現實世界的理解是否是真的？我們知道真相嗎？

　　我們是對特區政府的苦心不明白，對祖國的政策有偏見，其實一切事情都是為我們好的，從逃犯條例到國安法都是為香港人的一國兩制和穩定繁榮而提出的。一切反對抗議鬥爭都是沒有

意義的，因為我們不明白真相——這些看法不是無知大眾所言，不只是建制黨媒、政府高官國家領導人的説話，而是高級知識分子、專業人士共同認可的「真相」！高級學者如社會學講座教授、法律學院法制教授，一致認為國安法可將香港納回正軌，是中央給我們的新社會契約！數月前我提過的一位後輩哲學學者，博士研究出自德國名師，誠心的勸導我要理解真相，89年六四真相不是我們所知道的，經過她多年深入探討，我們全被反共人士、外國媒體誤導了，誇大其詞。事實上並沒有大屠殺，真的「真相」被偏見埋沒了。共產黨的領導是偉大的、沒有錯誤的，祖國的將來是光明的！

的確，我們能夠知道真相嗎？1989年6月我們都只是每天看著電視，讀香港和外國媒體報導，我和你有到過現場，親身見到天安門廣場發生的事嗎？三十年前發生的事太遙遠了，對當前的「中國夢」沒有正面幫助，忘記了吧，反正我們不知道「真相」。當前十四億人口裡可能有95%以上不知道六四是什麼事情，也不需要去理解。因為知道了有什麼用？「真相」是權威所決定的。

上世紀的極權統治，從德國的納粹暴政，義大利的法西斯主義，蘇聯的共產專制，到中國的文化大革命時代，我們不是看到無數人，以百萬計的人民，從普通市民、知識分子到科學家都一起高呼希特勒、墨索里尼、列寧、史達林、毛澤東為最偉大的領導和先知嗎？只有他們才能把握真相和理解歷史嗎？連20世紀德國最重要的哲學家海德格在1933年也加入了納粹黨，讚揚希特勒為德國救世主！

　　馬克思在1848年的《共產黨宣言》已明確指出，無產階級是要依靠共產黨領導才可以革命成功，因為只有共產黨才知道歷史發展的規律和事物背後的真機！二千多年前希臘的柏拉圖確信只有哲學家成為君王，城邦才有真正的公義，因為哲王才擁有智慧，明白真相，知道什麼是真正為人民帶來幸福。耶穌說「我是道路、真理、生命」，只有通過他，才能回歸上帝，是故他是救世主。兩千多年來無數的基督宗教信徒因為耶穌的福音堅信不移地活下去，等待世界末日，他的第二次來臨，善人復活升天堂，罪人下地獄！

　　可惜的是，耶穌還未再來，二千多年來人類在地上的鬥爭災難卻源源不絕。永生還有意義嗎？柏拉圖的哲王理論，不論是否理解他的原意，後來倒成為了獨裁者的典範。希特勒上世紀30年代的確給德國帶來短暫繁榮和強勢，但十年過後，二次世界大戰除了殘殺了六百萬猶太人之外，還令德國人民和文化墮入無窮苦難中，更把全世界無數人民拉落無間地獄。史達林的極權專制殘暴統治，不到八十年便滅亡了！十年文革浩劫可以證明毛澤東是中國人的救星嗎？

　　強權掌握了「真相」，並決定「真相」的內容。一切不同意的反對聲音都是錯誤的。「真相」不容許批評和爭議。蘇聯極權時代將異見人士關到精神病院，是因為當時的官方心理學是反映論：人的意識是世界正確的反映，正常人必然將偉大和美好的社會主義國家如實反映在心中，如有異見，是心理出了問題，是精神病，所以要治療，將錯誤的觀念改正！

我們的存在危機就是如何把握真相！強權自稱擁有「真相」，是以決定什麼是正確的思想，同時打壓一切反對意見。我們要如何應對？

當然，「真相」或「真理」論是哲學的重要問題。但是我們不需要在此進行哲學的討論，這留待真相哲學課上研究吧。我關心的是如何可得知我們現在理解的世界是真的，官方的「真相」才是假象？

首先肯定的是，真相不是由權威決定的，也不是由多少人相信來決定的，儘管有以億計的人相信某種現象，也並不等同於真相。強權不能強迫我們接受他們所描述的「真相」。

我們能夠知道什麼是真相，是因為我們可以自由思想。鄂蘭在《平凡的邪惡》中指出納粹戰犯艾希曼不是天生惡魔，而是他拒絕思考，對一切眼前所看到的罪惡視而不見，他只是接受命令，因為上級永遠是對的；他不需要反省，因為他只是盡責的執行命令，猶太人的死活與他無關。良心、理性、同情心與工作沒有關係，也沒有意義。

拒絕自由思考便是平庸之惡。

「真相」也不是簡單可得的，而是需要我們透過多方面的知識、對時事的掌握，獨立思考，理性分析出來的。所以我們需要不斷讀書學習：不單要閱讀比較有說服力的媒體和評論，更要網開知識領域，哲學、歷史、文學、社會科學都要認識。這些學問的長年積累便是我們的「內功」，有內功才可以判別真偽，才可以確定「真相」。

　　沒有個體，就沒有自由；沒有懷疑，便沒有真相——那樣，我們的存在也沒有危機了，因為存在再沒有意義。

　　讀了幾十年書，我領悟到當前才是真正的考試：不是為了學位，而是想運用我的學問內功，嘗試理解真相，重新安身立命。

　　　　　　　　　　　　　　　　　　　　2020 年 8 月 25 日

[3] 憤怒

　　全城穿黑衣，反抗鬥爭，是因爲我們憤怒和痛心！我們繼續無悔抗議下去，因為在我們心中的怒火和痛苦不能抹去，不能忘記也不敢忘記。

　　我小學就讀官立小學³，住在官涌街市，同學多是街市小販的子女。在學校我算是個好學生。五年級時有一天下課，排隊出教室時我玩弄身旁黑板的白粉筆，被訓導主任看到。他說我不守規矩，要被罰打二十下手板。打在掌心當然是痛苦萬分，眼中有淚，但我沒有哭出來，心中只有憤怒：我做錯了什麼？為什麼得到這樣的懲罰？雖然這是發生在差不多六十年前，但依然歷歷在目，不能忘記。

　　為什麼我憤怒？如果我的確做了錯事，被老師發現而被罰，我應該慚愧、知錯，該打二十下手板。但我覺得我沒錯，不應受罰，不公正被打而無辜受苦，所以憤怒。

　　這件兒時往事，比起一年來香港年輕人被黑警武力強暴打壓，被打到遍體鱗傷，我那二十下手板，當然是微不足道！同時，這是個人的小事，比較我們幾百萬人的憤怒，可謂不值一提。

　　港共和北京以警暴、謊言、倒行逆施的政策，將香港謀殺了。

3　〔編按〕由香港政府開辦，直接由教育局管理的公立小學。

從去年年初開始到今天，差不多每天都讓所有有思想、良知、理性的香港人見證無比荒謬的事件，悲憤莫名。721，831等等無數罪行已有不少政論批判，不需要我再加一言。我關心的是：憤怒有什麼意義？

憤怒是人類最日常不過的情緒之一。日常生活中遇到不如意的事情我們或會發脾氣，碰到他人對我們有不合理或不公正的對待、過分的指責，我們會發怒。如對方道歉認錯，我們原諒了他，事件便處理了。但若對方不承認錯誤，因他的不正當手段令我們痛苦的事件便不會輕易過去。我們的憤怒會藏在心裡，甚或轉變為仇恨，希望報復。對方一天不處理對我們的傷害及道歉，我們的怒火便永不熄滅。

個人恩怨，群眾間之怨恨，種族仇恨，國與國戰爭帶來的浩劫，人民痛苦之餘便是憤怒和仇恨。人類歷史中充滿無數因憤怒而產生的連綿災難和悲劇。盼望人類永久和平只是幻想，因為人的心中總有憤怒和仇恨，沒有辦法擺平。

我們應該憤怒嗎？

古希臘荷馬史詩《伊利亞德》劈頭第一句就是關於憤怒：「歌唱吧，女神！歌唱裴琉斯之子阿基里斯（Achilles）的憤怒——他的暴怒招致了這場凶險的災禍，給阿開亞人帶來了受之不盡的苦難。」西方文學就是從憤怒開始！希臘和特洛城十年戰爭帶來殘酷、悲痛、殺戮、仇恨，全部都是負面的事情。憤怒只會帶來災難痛苦。

是故基督宗教將憤怒列入七罪宗之一，因為憤怒引發其他惡

行，是罪之源頭。新約聖經中耶穌指出憤怒之不可接受，在馬太福音說「要愛你們的仇敵」。孔子訓人以德報怨，去掉憤怒。佛家當然以憤怒（瞋）為我執之毒，勸導眾生要去除憤怒仇恨才能覺悟。

羅馬時代斯多葛學派的塞涅卡（Seneca）的專著《論憤怒》是西方古代最全面討論憤怒問題的哲學著作。依塞涅卡來說，憤怒是種瘋狂，將人的理性覆蓋，有憤怒便永遠得不到平靜心境。如果我們不能控制憤怒，我們便如禽獸一樣，沒有自主性。我們應依照理性而生活，憤怒破壞我們的判斷能力，所以我們不要憤怒，不要讓外在事情——無論有多不合理或荒謬，加諸自己身上，因為這些事情與我的幸福無關，故此該以不動心（apathia）為指標。治療憤怒有兩種方向，一是我們不生氣發火（抵制憤怒）；二是我們生氣時不做錯事（克制憤怒）。憤怒是非理性的，因此是不道德的，對人生沒有價值。

如果我們相信上面提及的中西哲學宗教對憤怒的負面說法，我們就只能放下怒火，接受命運。如果人間的一切苦難罪孽不能透過憤怒報復解決，那就只能承認及接受這「真理」吧。

但哲學史上還有對憤怒不同的看法。亞里斯多德便認為憤怒有其正面的意義，憤怒不是壞事。他把憤怒定義為對重大傷害的痛苦反應：由於這種傷害是被錯誤和不合理地施於被害者，因而被害者感覺憤怒而要求平反或報復，同時希望冤枉我們的人最後得到報應。亞里斯多德認為一個人若缺乏憤怒，他就會冷漠，如果過於憤怒，便會變成狂暴。當然單靠憤怒並不能解決問題，

但至少能夠將解決問題的意欲及情緒維持下去。憤怒不是問題，問題是如何將憤怒情緒引導到改變事情的意欲中，讓事情變得更好；要好好的控制憤怒，對應該發怒的事情發怒，以正確的理由對不公義的事情憤怒，這就是亞里斯多德的憤怒藝術。

我不贊同對憤怒的負面分析。我們不能面對不公義和荒謬採取冷漠無情如斯多葛學派的態度；不能說「上帝歸上帝，凱撒歸凱撒」便將地上的殘暴埋沒下去，不能簡單的說以德報怨便將憤慨平息。依孟子所言：無羞惡之心，非人也，無是非之心，非人也！面對不公義而無憤怒，非人也。

我相信憤怒至少有三個正面的意思：

一、當我們被冤枉，被不公義打壓時，憤怒是必要的，這是保護我們的尊嚴。

二、對錯誤和不公義的行為而出現的憤怒，是認真對待不公義的必要條件。

三、憤怒是與不公義鬥爭的重要部分。

如果我對憤怒的分析是對的話，我們抗爭的動力就不會因打壓或時間而改變，因為我們心中的憤怒不會平息。正如我們不會忘記上世紀納粹殘殺猶太人的事實，也不會忘記六四屠城的慘劇。納粹戰犯最後要在紐倫堡審判，才能將猶太人和世人的憤怒平息下來。現在每天發生的荒謬絕倫的事情是供給我們憤怒的燃料。如果正義審判不來臨，我們心中的憤怒肯定不會消亡。

2020 年 8 月 29 日

參考資料：這篇文章不是學術論文，不具註釋。文章中提及的觀點，可參考下列幾本書：

1. Seneca, *On Anger* 有不同的英文和中文版本。

2. Robert Thurman, *Anger*, Oxford University Press, 2004.

3. Martha Nussbaum, *Anger and Forgiveness*, Oxford University Press, 2016.

[4] 恐懼

「民不畏死，奈何以死懼之。」

這句出自《老子》七十四章，在過去一年抗爭運動場所出現不少次：我們連死亡都不害怕，用死來恐嚇我們有什麼用呢！

小時候聽電台節目夜半奇談，鬼怪故事的確恐怖。有一次聽了嚇人的鬼故事，瑟縮在床上，震慄不已。突然想出兩個理由不怕鬼和不懼死。第一：如果人死後變了鬼，沒有理由衣物也會變成鬼，如果有鬼，我們一定看不見，因為鬼不可能穿上任何衣物；第二：鬼能夠對我做什麼呢？最多是將我嚇死吧，但如果人死了就變成鬼，那麼我死了，也一樣變成鬼，和他一樣，有什麼可怕？我有了這兩個理論，以後再不怕鬼也不懼死了。

當然這是兒時幼稚的想法，但也開啟了我對害怕和恐懼的思想方向。

20世紀存在主義將恐懼和焦慮（Fear and Angst）列為人類最重要危機之一。「怕」是害怕、恐怕、懼怕、畏懼，當指人對某種事情或事物產生恐懼的情感。西方最早出現「怕」可能是在舊約聖經創世紀，亞當吃了禁果之後，聽到耶和華呼喚，回答說：「我在園中聽見你的聲音，我就害怕。」（創，3:10）因為不聽從神的命令而做錯了事，害怕即將來到的懲罰，更懼怕因犯罪而死亡

「你吃了當天必定死。」（創，2:17）首先，害怕是有對象的，這當
然不是耶和華本身，而是因犯罪而出現的懲罰和痛苦。聖經沒有
談及亞當如何面對恐懼，只是記述他接受犯罪的惡果，被趕出伊
甸園。

　　古希臘亞里斯多德對恐懼的理解影響後世極深，因為他將恐
懼和勇敢扣緊一起分析。他說：「很明顯，我們所恐懼的是可怕
的東西，簡單的說，就是惡；為此，人們甚至把恐懼定義為對惡
的期待。我們害怕所有的惡：如恥辱、暴力、貧窮、疫病、無友、
死亡。」

　　恐懼就是對惡的期待。這惡會帶來巨大的痛苦或損失，甚至
生命危險。平常人面對恐懼便想辦法逃避。不能逃避便投降，減
少痛苦和損傷。沒有正常人願意在恐懼之中生活。但是為什麼在
過去十五個月中，無數香港人，尤其是年輕人，不顧恐懼而參與
抗爭運動？他們上街遊行，配上全套裝備與黑警對抗，難道他們
不知道恐懼嗎？不害怕催淚彈胡椒噴霧？不害怕被強大「合法」
武力拘捕時的殘暴對待嗎？以膝壓頸的痛苦嗎？濫捕後進入警署
的虐待、欺凌？無理控告後等待法庭審判的煎熬？定罪入獄後的
身心痛苦？香港人不恐懼嗎？

　　文明的發展，首先是保護人類免受大自然威脅的恐懼。房
屋的建設是將風雨雷暴避開，令我們安全住在其間。同時亦將野
獸與我們隔離。進一步，城堡和士兵的建立是保衛我們不受敵人
的攻擊。其後城邦國家的出現，便是統治者和人民政治關係的爭
議。直到18世紀末之前，王權專制統治是常態；但美國獨立革

命和法國大革命扭轉了這種由上而下的統治模式，憲法是政府和人民的社會契約。重要的是要制衡政府的權力，三權分立便是這種政制最文明的發展。政府行政、立法和司法的權力互相制衡監管才能令人民擁有免於恐懼的自由。我們只要在憲法認可的法律下實現我們的權利和責任，我們便不害怕警察、法庭和所有其他官員，因為我們被法律保護！

我們相信免於恐懼的自由是現代世界理所當然的事。1948年聯合國通過一份人類文明史上最重要的文獻——《世界人權宣言》：「鑑於對人權的無視和侮蔑已發展為野蠻暴行，這些暴行玷汙了人類的良心，而一個人人享有言論和信仰自由並免於恐懼和匱乏的世界的來臨，已被宣布為普通人民的最高願望。」

是以過去幾十年香港是世界上最安全的城市之一，香港沒有什麼地方是我們害怕去的，任何時候我們都可以在街上行走；參與遊行示威、抗議、喊口號；出版、言論、新聞和學術自由是最理所當然的。我一生在大學工作，看書教學、演講開會、寫文出書，從來沒有任何監管，遑論審查！我們不懼怕，因為有法治。因為《世界人權宣言》保障我們。

可惜和可悲的是，這一切的權利和自由，就在過去十幾個月中，一步一步消失始盡了。香港不再是安全的城市。警暴濫捕，國安法強立，三權分立變成過去的笑話，香港已淪為恐慌城市。香港有太多的日子和地方成為危險時空：從元旦到 6/4、6/9、6/12、7/1、7/21 等等悲憤不已的歷史，從立法會、金鐘、旺角、元朗、大埔行人隧道等等無數抗爭地點，這些日子和地點是香港

千萬人憤怒、悲哀，同時是恐懼的時間與地點。沒有人保證在那時空出現會安全。香港已是「惶恐之城」。

既然我們惶恐害怕，為什麼還要對抗？

重回我小孩子時怕鬼的經歷。我再不害怕鬼神是因為我可以用思想理性去克服這種恐懼，事實上這是無知的恐懼。知識便是克服恐懼最重要的武器。人類懼怕大自然威脅是靠科學知識的解釋去除的，打雷閃電再不是雷公電母的發怒生氣。我們通過科學知識理解大自然運作的規律。「知識便是力量」，17世紀科學革命啓蒙者培根（Francis Bacon）如是說。「理解自然，便可以控制自然，改變自然。」

但是人類政治生活的恐懼不是自然現象，並不能靠科學知識去解決，而是依據人類累積的政治智慧，以制度去規範管理當權者的權力。民主政制絕對不是最好的政治制度，但肯定比獨裁專制主義理想得多，因為民主所包含的權力制衡機制使得權力不可能絕對化，濫權暴政便不容易出現。民主法治便是保障人民免於恐懼的制度。

六年前的雨傘運動到當前抗爭運動的主要目標便是要爭取民主和保持法治。悲憤的是暴政將我們的謙卑訴求以高壓統治粉碎了。我們免於恐懼的自由再沒有保障，現在我們活在「惶恐之城」中。如果我們不想恐懼，我們可以不去思想，全部接受港共政權告訴我們的「真相」，行「平庸之惡」，每天看官媒的報導，聽取指示而生活，接受二加二等於五的説法，如此我們便受到極權的保護了，再不需要「恐懼」。但是我們真的可以心安理得的每晚

入睡嗎？

　　暴政令我們憤怒，因而抗爭；但無情打壓使我們恐懼。我們如何克服這恐懼？當然是依靠我們的勇氣！但勇氣從何而來？

　　再次回到我怕鬼和死的故事。害怕鬼神可以用理性知識去克服，但恐懼死亡便不是這樣簡單。存在主義分析恐懼是有對象的，但對死亡的恐懼和有對象的害怕是不一樣的。死亡不是一個東西，是存在之無。我們沒有死亡的知識，因為死亡不是一種經驗。維根斯坦說：「死亡不是生命中之事件，無人體驗過死亡。」儘管我們不知道死亡為何物，但死亡來時取消人生一切存在的可能性和意義。而且死亡可以隨時出現，不會因為你是年輕或年老，美或醜，賢或愚就能絕對「免疫」，我們死亡的原因只有一個，就是我們出生了。依亞里斯多德，死亡是最大的惡，對死亡的害怕便是最大的恐懼。

　　懼怕死亡是每個人感受到的存在危機。但是我們憑什麼可以不怕死而去抗爭？我們依靠什麼勇氣去對抗暴政？

　　我們下一篇便要討論勇敢，如何克服恐懼。

2020 年 9 月 11 日

[5] 勇敢

　　年輕時讀卡繆的存在主義作品，有二本書仍然存記在心。《異鄉人》第一句：「媽媽今天死了，可能是昨天，我不清楚。」之後便是主角荒謬的人生經驗故事。《薛西弗斯的神話》開始是：「哲學只有一個真正嚴肅的問題：就是自殺。判斷生命最否值得活下去要看如何回答這問題。」相信大部分人都覺得這是無聊和多餘的問題，每天都是起床、上班、吃飯、睡覺的日常生活。但是直到有一天，我們的生命受到威脅，危機出現了，死亡的恐懼就在面前，我們可能會問：我們的一生有價值嗎？卡繆認為人生是無聊荒謬的，大部時間我們都是被日常生活埋藏下去，沒有時間和理由去想這些哲學問題。但如果我們仍然活下去而不自殺，肯定需要一個存在的理由，活下去是需要勇氣的。我們要在無聊荒謬的日常生活中找到生命意義，才能自覺地活下去。

　　弗蘭克（Viktor Frankl）以他在納粹集中營的慘痛經驗得出一個重要訊息：當人面對不可思議的殘酷折磨時，每一刻都可能被滅絕，人能夠靠什麼來保存生命呢？繼續生存下去需要什麼勇氣？原來勇氣來自於生命意義的確定。如果人知道存在的價值和意義，他或她便可以有勇氣繼續活下去。是以在集中營中儘管面對飢餓、酷刑、殘暴對待，有些人仍活得像聖人；有些人為求不死，

什麼不道德的事都願意幹，豬狗不如；當然有更多人放棄生存，求死而去。據此弗蘭克創立「意義治療學」（Logotherapy）。正如尼采所言：「一個知道自己為什麼而活的人，幾乎可以承受任何一種生活。」勇敢來自意義和價值。

1989年5月20日，香港掛起八號風球，我們冒著狂風暴雨到維多利亞公園集會示威，抗議北京宣布戒嚴，開始鎮壓天安門廣場內的學生。「打倒李鵬」、「支持北京學生」和其他口號在風雨中大喊出來。雨和淚流在我們的臉上，掩不住我們悲憤的心情。集合遊行示威結束後安全回家，不會害怕，因為知道這是我們享有集會遊行的合法自由權利。之後無數人上街遊行示威，我們沒有恐懼，也毋須勇氣，只要覺得應該對不合理、不公義的事情表示不滿，就上街抗議。沒有人強迫我們去，同時遊行示威沒有風險，去不去是每個人的自由選擇。1989年之後，年復一年香港以萬計的市民到維園悼念六四、抗議屠城，是我們共同表達思想自由的場所。2020年6月之前抗議行動不需要談勇敢。實行人權法賦予我們的權利是理所當然。

憤慨的是這理所當然的公民權利已經被剝削了，香港已成為恐懼之城。集會遊行，喊反政府口號，展現抗議標語，全部都變成為「非法」行為。每一次抗爭都會帶來危險，可能被拘捕、毆打。是以行使我們固有的公民權利再不是應然的，而是需要勇氣去實踐。因為要面對惡法的打壓、濫捕和暴力的恐懼。克服恐懼的動力便是勇敢。

亞里斯多德在上篇討論恐懼時定義為「對惡的期待」。勇敢

便是人如何面對惡的德性（virtue），懦弱的人面對恐懼便退縮，魯莽的人只靠衝動行事，但勇敢的人是「為正確動機，以正確方式，在正確時間去忍受和畏懼正確的事物。」勇敢就是懦弱和魯莽的中庸之道（the mean）。但是勇敢作為道德的德性（moral virtue）並不是天生出來的，而是透過學習，理性反省而衍生出來。勇敢的人面對懼怕的事情做出行動時，不單純依靠勇氣的情感，更需要對當前處境有正確的理解，有獨立意識的主動行事。「勇敢是恐懼和信心的知識。」恐懼帶來危險，但對恐懼的克服是因為信心給予我們正確的認知，是以我們可以勇敢的面對。「勇敢的人為了高尚的事情而行動，因為這是德性的目的。」

誠然，亞里斯多德論勇敢是指個人的德性問題，他關心的是人如何能夠依據理性和德性達到幸福，得到有意義的人生。但他同時關心人作為社會群體中一份子的責任問題。人是擁有「能言、思、辨能力的生物。」人也是社群的存在。社群有公義，個人才能夠有幸福！

1989 年六四遊行示威是因為公義，表達我們對鎮壓天安門的憤慨。雨傘運動和去年反送中抗爭亦因為公義受到威脅和打壓，我們才義無反顧的走到街上抗議。過去十幾個月中，香港以十萬計的人民走出來，其中有整個香港社會不同階層的人：年老的、年輕的、退休的、專業人士、家庭主婦、老師、廚師、醫生、教授、學生、公務員等等……我們並沒有受到任何人或組織煽惑，遑論受了金錢報酬，也沒有領導人指使，更沒有共同政治理念。我們走出來，因為我們有同理心，我們一起感覺到香港已到了被

強權毀滅的時候，一直以來相信的道德價值、法治精神、是非黑白，面臨全被暴政顛倒的危機，我們醒覺了。這種全民的共同感受相信是香港一百五十多年歷史中從未出現過。這就是我們憤怒的原因，亦是克服恐懼的理由。我們的勇氣便來自這種同理心。

亞里斯多德說人類最大的恐懼便是死亡，現代存在主義者說的恐懼焦慮是來自個人生命的無常、有限、隨意、意義失落、無歸屬感；面對這種虛無人生而感覺無力無助，一切事情最後都是毫無價值和意義，這種「無」是比死亡更大的恐懼。個人的存在就在這虛無中沒有任何依歸。除非我們對這些現象避而不談，全無感受，否則我們要找出再確定生命的根據。上世紀存在主義神學家田立克（Paul Tillich）的《存在的勇氣》（*The Courage To Be*）提出他對虛無主義的否定：勇氣是人自我存在的肯定，儘管（in spite of）面對「無」的威脅，而這存在肯定正因為單獨個人的存在是不可能的，我的存在已包括他人在內。他指出「我」的勇氣來自於「我們」的勇氣。我們參與遊行示威時，沒有任何人的指示，行同一方向，叫同一口號，唱同一首歌，我們和同行者儘管互不相識，我們心中知道我們有同一理念和感受。這種同理心，便是我們的勇敢。

儒家言三達德：「智者不惑，仁者不憂，勇者不懼。」就是確定勇者之所以無懼，因為是義之所在。孟子說不義比死亡更可怕，是以「捨生取義」。蘇格拉底面對死亡毫不懼怕，因為他知道正義為何，是以勇敢就義。

　　我們有勇氣，並不是沒有恐懼，每天對發生無數荒謬絕倫的事情仍然憤怒，但我們的勇氣並不需要衝動和魯莽行事，我們要克制，並不是我們懦弱，而是在大是大非的議題上站起來，用適當的手法去說不，去抗議。透過我們的知識和判斷知道什麼是真相，去抗拒強權的「偽相」，抗爭便會繼續堅持下去，因為「我們」就是勇氣。

2020年9月23日

參考資料：有關存在主義談勇氣的主要參考是：

1. Jacques-Louis David, *The Death of Socrates*, 1787. Public Domain.
2. Paul Tillich, *The Courage to Be*, New Haven: Yale University Press, 1952.
   儘管田立克對存在主義有深刻分析，但勇氣最後的基礎仍在基督宗教的信仰確定。因此文篇幅有限，未有詳細討論。

[6] 報復

面對不義不公的打壓時，除了憤怒，我們可以報復嗎？

1969 年 12 月中一個下午，父親在不准駛入的單程路上被一輛小巴急速進入掉頭輾斃，時年五十四歲。幾個月後法庭判處小巴司機危險駕駛罪名成立，停牌三年和罰款。這名司機沒有上來向媽媽和我一家人說聲歉意便走了！父親的無辜死亡留下媽媽和我們八個兄弟姊妹。司機定了罪，公義得到伸張嗎？我一家人的悲哀、痛苦、憤怒、徬徨，因為法庭公正審判便可以補償和「釋懷」嗎？司機離開法庭前我看了一眼，他臉上毫無歉意和放鬆的表情，五十年後仍不能忘記！既然法庭如此輕判，遠遠不能平息我們的悲憤，我是否應該復仇，是否向這殺父仇人報復？令他和他家人同樣受到懲罰！「殺父之仇，不共戴天」，怎可以這樣輕易就放過他！但什麼是他應得的懲罰？他不是刻意謀殺，只是魯莽大意而犯錯。我要求一命換一命？判監十年？或供養我們一家二十年？無論如何，我父親之死是因他而起的，我們的悲痛也是他帶來的。事後我沒有追究，甚至因為無知，也並沒有循民事追討保險賠償。半個世紀彈指過去，相信這司機可能也不在人間，但此事仍耿耿於懷，不能忘記，不能寬恕。

懲罰罪人，復仇報應是人類文化恆久不變的大課題。希臘悲

劇大部分都以報仇雪恨為主題，犯罪是惡，報復也是惡，是以神和人在這種報復悲怨仇恨的命運中糾纏，不能自已。荷馬兩本史詩便是從憤怒開始，不斷的殺戮和報仇而終。莎士比亞四大悲劇亦以復仇為主調。哈姆雷特如果不需要為父報仇，他和奧菲莉亞不是可以幸福在一起？憤怒和悲傷主宰了這丹麥王子的命運，殺掉萬惡的叔父和同謀的母親是他存在的意義。復仇的憤怒燃燒了他一生！

如果沒有恩怨情仇，尤其是報仇雪恨，金庸武俠小說沒有什麼好看！從《射鵰英雄傳》到《鹿鼎記》，每一本都談及國仇家恨，犯罪者為了私利、慾望、權力，或謀取天下無敵的地位而謀害他人，甚至滅門，受害者千辛萬苦將仇人報復殺掉，沉冤得雪，彰顯公義。無數電影和電視劇也是展現犯罪和報仇的故事。顯然這些報復故事不只是小說或電影才出現，實際上日常生活也有無數事例。人對其他人不公平的事情無日無之，從輸了圍棋到在球場被對手打敗，從愛人被另一男人搶走到生意被人奪去，我們都會不甘心、不順氣、憤怒，繼而尋找報復的方法。

報復是人類存在活動中一種重要的情感模式。

失敗、被人打壓、不合理對待，我們感覺不服氣、挫敗、沮喪、憤怒。我們或許等待機會報復，或者投降忘記，一笑置之，或者壓抑悲憤放在心裡，不敢表現出來。但如果這些不是個人私怨而是對社群的鎮壓，無差別暴打，濫捕的行為時；無數人自己或身旁的市民被警暴如此對待，憤怒痛苦不能平息時，我們可以做什麼？向當權者投訴？冀盼公義彰顯？香港過去一年多無數抗

爭被打壓，無數令我們悲憤莫名的事件，我們無法期待能夠取回公道，平息怨憤。於是報復？「以牙還牙，以眼還眼。」是以暴力回報暴力。幾十年來建立起來的安居樂業，繁榮穩定，法治、自由、安全的香港因此淪陷為「恐懼城市」。

儘管報復意識似乎是受害人最正常不過的反應，但宗教和哲學並不讚賞報仇和報復。耶穌在山中寶訓明言：「你們聽見有話說，『以眼還眼，以牙還牙。』只是我告訴你們，不要和惡人作對，有人打你的右臉，連左臉也轉過來由他打。」「要愛你們的仇敵，為那逼迫你們的禱告。」（馬太 5:38-39；44）因為「以眼還眼，以牙還牙。」是舊約聖經猶太人處理被外族逼害的方法，但耶穌在新約以博愛改變了這以仇恨為基礎的信念。報仇是人與人之間不容許的。因為神是最後的審判者，人的罪行只有神才能赦免或懲罰。所有人的行惡行善，在世界末日最後審判會得到應有的報應。「親愛的弟兄，不要為自己伸冤，寧可讓步，聽憑主怒，因為經上記著，『主說，伸冤在我，我必報應。』」（羅馬 12:19）如果我們是基督徒，是否遵循耶穌教導，停止憤怒，放棄報復，對所有打壓都逆來順受？

這當然涉及另一個重要原則：報復和公義是一對不可分開的概念。二者都是處理罪行帶來的憤怒。受害人因憤怒和仇恨引發的報復若沒辦法限制，對犯罪者的懲罰可能是遠遠超過原初的罪行。義憤填膺，對犯罪者的傷害雙倍奉還，因為罪有應得，復仇變成為替天行道，大快人心的行為。但仇恨將會帶來更多仇恨，報仇引發回應的報仇。是以文明社會禁止私人復仇是正確的。法

庭就是以法治去平息受害人的憤怒和懲罰罪人以彰顯公義和正義的地方。如果私人復仇容許的話，我們如何知道復仇者真正的動機？他或她如何得到懲罰他人的道德特權？復仇真的局限於一眼還一眼，而且不會超出受害人的傷痛？再者，如果這個罪人拒絕承認復仇者的正義性，他可能反過來對復仇者反擊，那麼復仇就會導致暴力的延續，永無停止。個人恩怨，並不容易分辨是非對錯，不能完全確定復仇的道德理據。國際上可看看以色列和巴勒斯坦的互相仇恨和報復，以暴易暴，和平之日不可期。因為互相傷害得太深、太痛苦了。

因此之故，社會不贊成私人報復。良好的法治社會可以伸張公義，但是如果法治失調，不再公平，強權獨裁政府扭曲了公義，司法不再獨立，法庭只是為政治服務，我們還可以期求什麼？最後可能是訴於人間之外的上帝或上天。《竇娥冤》中的六月飛雪是證明上天也不能容忍窮凶極惡的罪人逍遙法外。天有眼的！「善有善報，惡有惡報，若還不報，時辰未到。」不是我們常掛在口邊？如此這般，讓上帝和上天收拾惡人罪人吧！

但是這個意願真的可以實現嗎？歷史和人生經歷中見到無數沒有報應的故事，惡人罪人逍遙法外不知有多少！

回到這篇文章原初的問題：我們可以報復嗎？

上世紀法國存在主義哲學家西蒙‧波娃（Simone de Beauvoir）在1946年寫了篇對報復／復仇很有啟發性的文章：〈以眼還眼〉（An Eye for an Eye）。事緣德國二次大戰戰敗後，法國開始審查那些在維琪（Vichy）政府下為德國統治者服務和作惡的法國人。這些幫兇、

叛國賊當然受盡戰後法國人唾棄，並接受審判和懲罰，很多被處死。其中一名受審的法國知識分子布拉西拉赫（Brasillach）因佔領期間出賣猶太人，令他們致死或被送往集中營。他的罪名成立，被判死刑。但一群法國知識分子發起簽名運動要求赦免布拉西拉赫的死罪，很多知名人士，包括卡繆也簽了贊成特赦，但波娃反對赦罪，儘管她是人道主義者並長時期反對死刑，她簽了支持死刑！為什麼有這樣的改變？因為她參與審判全程，深深感受到窮兇極惡的罪行，不能用抽象的哲學概念去分析，更不能用冷靜客觀的法律觀點去判斷這極惡（absolute evil）。「人不會憎恨冰雹或瘟疫，只憎恨人，不是因為人是造成傷害的原因，而是人是以意識去製造真正的邪惡。」她確定這最大的惡便是剝奪了其他人的主體性使之變為物品，恐怖和殘酷對待自己的同胞猶如處理廢棄物一樣。這些「合法」暴力給予受害人本身和他至親的人無比的傷痛和憤恨，這些不可以量化的情感是永遠不能彌補和賠償的。但至少犯惡的人要受應得的懲罰。這些以執法為名而犯罪的人會「付出代價」。受害者會記著因暴政帶來的悲憤而期求報復。報仇的願望便是要牢記憤怒，不要忘記這些惡行。這就是「以眼還眼」。當然波娃並不贊成私人執法報仇，但她贊成報復、報仇。「如果說懲罰或報仇有任何意義的話，那不是作為一種平衡或恢復正常的舉措，而是作為人類拒絕接受有辱人性行為的公開肯定。」

　　要求獨立公開調查委員似乎遙遙無期。但至少我們知道要求報復不是非理性的，而是合乎人類的感情需要。公平審訊可能將憤怒平息下來，但任何判決永不可以消滅受害人銘骨的痛苦悲

傷。二次大戰後紐倫堡審判納粹戰犯，控告他們犯下反人道的罪行，大部分判了死刑。但公義就此可以彰顯嗎？一部分是，因為無論這批戰犯判了多少次死刑，無數猶太人因納粹暴行帶來的痛苦憤怒永遠不會忘記和平息！

羅森鮑姆（Thane Rosenbaum）在他有關報仇的書中說：「報仇就是記住，並為這種記憶而行動……與抹去過去的寬恕不同，復仇則保存了過去。哈姆雷特的父親在劇中開場時，以鬼魂出現哈姆雷特面前，他並沒有叫兒子報仇，沒有必要這樣做，他只是說：『再見，永別，但記住我。』哈姆雷特清楚這話是什麼意思，他必須做什麼來回應他的父親，並聽從他的遺言行事。」

十分遺憾，父親死去前我沒有和他說話，死後也沒有在夢中告訴我做什麼。他的死亡和日常交通意外死去的人一樣，只是一件不幸的交通事故，沒有人刻意犯錯。我也不需要報仇。悲傷痛苦便隨時間逝去吧！可惜我不能忘懷，為什麼他是這樣荒謬和沒有理由的死去。

2020 年 10 月 2 日

［7］ 極端惡與平庸惡

　　兩年前到南京大屠殺紀念館參觀，前後看了兩次。當然看到日本軍殘酷無情地殺戮南京平民而感到悲憤莫名。透過影像、相片、文字，重建當年日本侵華的殘暴，無數慘無人道的事件歷歷在目，三天之內超過四十萬人被殘殺。紀念館的目的是要讓邪惡罪行不要被忘記，相信公義最後勝利，戰犯重判，希望這悲劇永遠不會再發生，全人類和平共處。但是這種良好意願有實現過嗎？

　　南京大屠殺不止一次。1864年湘軍攻陷太平天國天京（即南京），入城屠殺金陵人，相信殘酷之處和日軍有過之而無不及。南京沒有任何天京大屠殺紀念館，更沒有影像相片留下展覽，不過有如此記載南京城淪陷後的情景：「湘軍『貪掠奪，頗亂伍。中軍各勇留營者皆去搜括』，……『沿街死屍十之九皆老者。其幼孩未滿二、三歲者亦被戳以為戲，匍匐道上。婦女四十歲以下者一人俱無（均被虜），老者負傷或十餘刀，數十刀，哀號之聲達於四方。』凡此均為曾國荃幕友趙烈文目睹所記，總計死者約二、三十萬人。」是次領軍是曾國荃，其兄是湘軍之首清末大儒曾國藩！這是漢人屠殺漢人的歷史。

　　我在這裡不去討論這兩次南京大屠殺的歷史問題，而是感

嘆為什麼人類可以容忍這殘暴之惡出現？人如何可能親手屠殺手無寸鐵、無辜的男女老幼？熟讀孔孟、性善良知之儒者曾國藩為何准許屠城搶掠、殘殺婦孺？惻隱之心何在？同理心和同情心何在？

但是這兩次南京大屠殺，比起上世紀德國納粹屠殺超過六百萬猶太人，還是差很遠。南京大屠殺歷時只有幾天，但納粹對猶太人的種族滅絕是從1940初開始，到1945年戰敗才完結，是有計畫、系統、理性和科學的執行，無辜的猶太人不分男女老少，從德國、波蘭及歐洲其他地方運送到分散在德國和波蘭的集中營裡虐待，強迫勞役，在毫無人道之下病死、餓死，最後被毒氣殺害然後焚毀。其中最惡名昭彰的是奧許維茲－比克瑙（Auschwitz-Birkenau）集中營，超過一百萬猶太人在此被殘殺。除此之外，納粹也系統地在歐洲殺害了以百萬計的吉普賽人、同性戀者、共產黨員等等。這些在集中營發生過的事件，仍可在原地的集中營博物館參觀。近年到過慕尼黑附近的達浩（Dachau）和法國近德國的納茨維勒－斯特魯托夫（Natzweiler-Struthof）兩處集中營，在德國種族滅絕的罪行已經過去了七十多年，但每個到場參觀的人士肯定感受到納粹主義的殘酷無情，營中的人遭受慘絕人寰的對待，焚化爐裡似乎還有燒焦味道停留在空中。參觀集中營的目的是不要讓這些超乎任何道德標準的罪惡被遺忘，參觀便是要親臨這人間地獄，去感受什麼是極端惡（radical evil）。

我在這裡提及南京大屠殺和集中營和現在的香港有什麼關係？這些慘事悲劇是上世紀發生的事，儘管是殘忍無道，過去的

事不提也罷！當然我們現在仍然可以看到集中營的真實紀錄片，其中恐怖殘酷的畫面，看後可能令人感到震撼，不相信人間地獄可以真實發生。但這些也是過去的事，與我無關。

不過去年6月後在香港反修例運動中，無數警暴殘酷對待示威者的場面，示威者被鋼膝壓在頸部的極度痛苦樣貌，721和831無差別追打、毒打市民的情況，暴力對抗暴力的鬥爭，每天都在電視、社交媒體和報紙出現。警暴是惡，「黑暴」也是惡。殘暴之惡就在我們面前出現。

我在本文暫不討論暴力的對錯問題，而是首先指出在道德判斷之前，暴力引至受害人的痛苦是真實的現象。簡單地說，刻意令他人痛苦的就是惡。我想理解人對他人的惡是什麼意思。

誠然，惡是人類文化最重要的負面現象。基督宗教《舊約聖經》創世紀第二章已提出善惡之樹，亞當夏娃後來不聽上帝之言，被蛇引誘之下吃了禁果，犯了不聽話之罪被趕出伊甸園。但這仍不是惡。到了第四章，該隱因妒忌而發怒，將弟弟亞伯殺死，惡才是第一次進入人間。故殺人是第一大惡。其後說的七罪宗（依天主教）：傲慢、貪婪、淫慾、憤怒、嫉妒、暴食和懶惰全部是罪惡之源頭，所有惡行是因為不節制個人私欲而產生，可能除了暴食和懶惰之外，其他五罪宗所產生的惡行都涉及他人，惡行強加痛苦在受害人身體和精神上。人類無數苦難和悲劇因而發生。

這種觀點和中國儒家論善惡大致相同。孟荀之論性善性惡亦以人之私欲與良知之對比去理解。荀子言性惡，並不是與孟子性善說對立，而是說人順從自然欲望行事，如果不受禮儀所節制，

則惡行由此而出現。總之，行惡是為了滿足私心和欲望，是以惡行是有目的性的。行惡是不道德的行為，是良知的陷落。

如果我們以中西傳統論惡的思想去理解兩次南京大屠殺，還可以勉強以獸性、貪婪、報仇、虐待狂，變態等等概念去嘗試解釋這種窮兇極惡的殘暴行為。但這些對於理解納粹種族滅絕的罪惡似乎不適合。

二次大戰後，「奧許維茲」成為西方哲學家最關心問題之一。納粹罪行全面挑戰傳統善惡論和神護論（Theodicy）。猶太裔三位哲學家，列維納斯（E. Levinas），約納斯（H. Jonas）和鄂蘭分別提出對「極端惡」的看法。列維納斯在其〈無用的苦難〉（Useless Suffering）的文章中引述加拿大籍哲學家法肯海姆（E. Fackenheim）的敘述：

> 納粹對猶太人的種族滅絕在猶太歷史上沒有先例。也不會在猶太歷史之外找到先例……。然而，即使是實際的種族滅絕案例，也至少在兩個方面與納粹大屠殺有所不同。整個民族被殺是為了理性的（無論多麼可怕）目的，如權力、領土、財富……。納粹的謀殺......是為了消滅而消滅，為了謀殺而謀殺，為了邪惡而邪惡。比罪行本身更無可爭議的獨特之處，還是受害者的處境。阿爾比根人（Albigensian）為信仰而死，至死不渝地相信上帝需要殉道者。黑人基督徒因其種族而被謀殺……在納粹大屠殺中被謀殺的一百多萬猶太兒童既不是因為他們的信仰，也不是因為與猶太信仰無關的原因而死，而是因為他們是猶太人的後代。

　　這種為惡而惡，沒有任何私欲目的，純粹為了一個「主義或理念」而產生的罪惡，便是極端惡！鄂蘭在她的重要著作《極權主義的起源》這樣解釋極端惡：面對幾百萬活生生的人群毫不動容地殘殺，首先便要將所有受害者作為人之條件全部取消。他們不是「人」而是毫無價值的物品，他們的名字不重要，只有數字。一切人權、尊嚴、個體性、道德人格和法律人格完全剝掉。主要是將所有對極權政府的反對者，所有持不同政見者，在獨裁者看不順眼的人，變成敵人，更甚者變成「多餘的人」。因此之故，猶太人再不是人，是以用任何殘酷無情的方法對付都是絕對允許的。一切良知同情心變成無關重要。這些對他人成為多餘人的理論，不單單是在德國納粹集中營出現，20世紀初亞美尼亞、之後蘇聯的集中營、柬埔寨赤柬、中國文化大革命和盧安達等等的大屠殺，都是運用同樣邏輯去對付被殘殺的人民。

　　鄂蘭不單是對極端惡如何在極權國家產生，她對極權主義的追隨者為什麼可以盲目的依上級的命令去殺人，提出另一個嶄新理念：平庸惡（Banality of evil）。《艾希曼在耶路撒冷》書中一開始便如此說：

　　　艾希曼的問題恰恰在於，有那麼多的人和他一樣，而且這許多人既不變態，也不是虐待狂，他們曾經是，而且現在仍然是可怕的、令人恐懼的正常人。從我們的法律制度和我們的道德判斷標準來看，這種常態比所有暴行加在一起還要可怕，因為它意味著──正如被告和他們的律師在紐倫堡反覆

說過的那樣——這種新型的罪犯，實際上是人類的宿主，他犯罪的環境使他幾乎不可能知道或感覺到自己在做錯事。

鄂蘭在整本書就是描述艾希曼這個負責送六百萬猶太人去集中營的納粹黨員不是惡魔的化身，艾希曼全不像一個窮兇極惡的魔鬼，只不過是一位平凡無奇的官僚，重複又重複地說他從未親手殺人，他只是根據命令行事。下班後是個普通、有家庭、愛護孩子的父親，甚至是有讀康德哲學的平凡德國人。

經過冗長的審判，鄂蘭形容艾希曼的最後陳述：

他對正義的希望落空了；法院不相信他，儘管他一直在盡力說實話。法庭不理解他：他從來就不是一個仇視猶太人的人，他也從來沒有想過要謀殺人類。他的罪過來自於他的服從，而服從是作為一種美德而被稱讚的。他的美德被納粹領導人濫用了。但他不是統治集團中的一員，他是受害者，只有領導人才應該受到懲罰。（他沒有像許多其他低級戰犯那樣走得那麼遠，他們痛苦地抱怨說，他們曾被告知永遠不要擔心「責任」，現在他們無法追究那些有責任者的責任，因為這些人「逃跑了，拋棄了」他們——自殺了，或者被絞死了。）「我不是被人說成的怪物，」艾希曼說，「我是一個謬論的受害者。」他甚至沒有使用「代罪羔羊」這個詞。

鄂蘭認為平庸惡便在艾希曼身上表露無遺：

我談到「平庸惡」，它指的不是理論或學說，而是非常實在的事情，大規模犯下的罪行現象，它們無法追溯到作惡者的邪惡、病態或意識形態信念等特殊性上，作惡者僅有的個人特點或許是一種超乎尋常的淺薄。不管做出的行為多麼殘暴，作惡者既不殘暴也不是惡魔，人們在他身上、在他審訊期間和警察盤問期間的表現上，只能找到完全消極的東西：不是愚蠢，而是令人匪夷所思地、非常真實地喪失思考能力。

「天地不仁，以萬物為芻狗。」大自然災難，無論是鼠疫、瘟疫、山林大火，殺傷無數生命，皆沒有善惡對錯。只有有意識的人類行為，才有是非善惡之分。人能為惡，亦能行善。日常生活中，凡人經常做出從私欲而起的惡行，對他人有不同程度的傷害，令他人痛苦難過。我們做了很多不應該做的事，也沒有做很多應該做的事，故如德國哲學家海德格所言，犯錯犯罪是人存在的現象，但我們可以認錯、懊悔和祈求寬恕。不過，對極權政府和獨裁者對人民犯的「極端惡」，和他們的追隨者所行的「平庸惡」，我們便不能接受了！

2007年一部關於艾希曼的電影，終場前負責控訴艾希曼的主控官最後說：

　　成百上千的人從來沒有聽過艾希曼，他們甚至不知道他的命運如何，不知道他最後被絞死了，而且還受到了審判。今天在全世界的年輕人當中，如果你問他們「希特勒是誰」，

有很多人會說，「從來沒有聽說過他」。你看，當你意識到這裡到底發生了什麼，不僅有六百萬猶太人被大屠殺，還有數百萬其他死難者，艾希曼也同樣要對他們的死亡負責。這控訴成了我一生的工作，它完全改變了我對生活中很多很多事情的看法，比如相信真正的民主。因為這是唯一能夠把人類從艾希曼這樣的人手中拯救出來的東西。而且在不知不覺中，有很多艾希曼存在我們身邊。但艾希曼只能在獨裁統治下成長和崛起，而獨裁統治，不管是左派還是右派都一樣，絕不會在真正的民主制度下成長和發展，這就是為什麼我們要為民主而戰。我們應該盡我們最大的努力，絕不讓這種情況再次發生，要防止艾希曼再次出現！

極端惡和平庸惡在香港過去一年中就在我們面前慢慢呈現。

因此之故，沒有民主自由，便沒有真正法治和公義，希望以「公義」去審判當前反中運動出現的種種惡行，無論是警暴和「黑暴」，都是徒勞無功的。現時我們還有一點點剩餘的法治和言論自由空間，能夠做多少就多少，祈求艾希曼不容易再出現吧！祈願希特勒不再出現吧！

2020年10月11日

［附錄］平庸之善
大埔山人

I

近日又重讀張生和劉況探討鄂蘭分析平庸的惡，放諸華人文化社會之中，也想從另一邊談論與之相對的平庸的善。

雖然難以科學或系統分析，日常觀察華人文化社會中似乎普遍存在並踐行種種平庸的善，這些平庸的善的氾濫，就如平庸的惡在二戰及之前之西方及中歐，最後導致同一種大得不能想像的無人性的惡。

先不論平庸的善，看看我們平日常見的善，就是從小所學的日行一善，通常這善當然是在自己身邊範圍所及的善行，普通人如買旗[4]、讓座、扶老之類，這些善行最突出的特點是舉手之勞，不用要求能力，行動成本甚微，受者明顯且有即時回饋；若看社會上層，善的實行規模和受眾會擴大，如各種捐款和慈善活動，但善行的本質還是一樣：其一，這種善的實行不用顯著的個人犧牲，所以這種善並不需要實行者用力思考和選擇，而傾向成為個

---

4 〔編按〕香港慈善機構籌款的方式。慈善機構邀請義工在街頭上向市民募捐，義工拿著錢袋和大量小貼紙（以前是小旗幟，因而得名），當市民投錢入錢袋後，義工會將小貼紙貼在捐款者的衣服上，以資識別。

人習慣甚至社會習慣，兩者相互影響，若如大部分人般沒有對善行和善本身的理解、反省和內化，最終將蛻變為條件反射；其二，由於這種善通常有即時的正向反饋，實行者很易將善當成一種會為自己肉身或心神帶來好處的行為，一旦如此，若有一種善行不能為自己的肉身或心神帶來任何好處，實行者則很易傾向拒絕這種善行。如此無所用心、如此局限和功利的對善的理解和踐行，且稱之為平庸的善。

平日常見的說法，會將剛才所說的買旗、讓座、扶老、捐款和慈善活動稱之為小善，至於大善，就真是義盡所以仁至那些了。那小善是否就是平庸的善？若實行者是因為將善內化後自動踐行，那就不是平庸的善，但由於大部分人行善的無所用心、局限和功利，也因為大善在定義上已要求實行者用力思考和選擇，根本無法成為平庸的善，平庸的善都是小善。雖然將小善與平庸的善等同使用實在以偏概全，但作為概括觀察，社會中的小善確實大部分為平庸的善，且重點實在是作為平庸之善的小善充斥社會成何境地，故為求行文可讀權將兩者等同使用，懇請見諒。

又為何特別有關華人文化社會？華人文化社會對善惡有明顯的量化觀，小善大善以至於惡的認知普世如是，但積小善可成大善的觀念卻特多見諸華人文化社會，小善與大善的本質不同，就是小善之中的不同善行之間的本質也有不同，若要計量相加，甚至要量多少小善等於大善種種，那只能將善行以至善的本質量化，量化以後各種善行以至小善大善均成無差等的善，人均捨難取易，大善從此消失，絮絮逐行小善者則自覺已義盡仁至，社會

充斥沒有善的本質的對善行的熱中，以及法利賽式對自己的善的妄自尊大。再更致命，是這量化的善可以與其相對的、亦能量化的惡相減，即是樹底說書人和歷史學家均掛嘴邊之功過相抵論，大惡的負值可以有數個小善加至零甚至正值，正如善的本質在量化者的認知消失，惡的本質也一併消失，如此若非鄉愿，就只能是偽善，兩者一樣，終於大惡奉行在人間。

　　為何會將善惡量化？簡化的通常解釋是源於華人文化社會的非宗教性或泛宗教性，但這只是對儒釋道家體系的誤解而已，對善惡本質及其不能量化的認知實不需依靠宗教，尤其不需依靠基督宗教，較貼近日常生活的解釋是，少數真實領悟儒釋道家精神者與其餘的大多數一直有難以交流的鴻溝，儘管雙方以為大家均在指涉同一思想，那大多數約分兩種：士，和其他所有人。如果以為士人一般對儒釋道家精神有較準確和深刻的領悟，但這將令人非常失望，他們讀和行的不是儒家，是儒術，術是沒有善惡觀的，有的也不忍卒用，也因如此，他們將道家變成道教，將佛家變成佛教，游離兩者尋心之所安，但將思想變成宗教後，灰色地帶和思辯空間全沒有了，善惡的表達和理解也變得絕對和簡化，傾向脫離複雜的本質變成即食的符號，儒術加上道教和佛教成了一種三合一信仰，從士人傳遍社會，這種善惡既隨當朝皇帝浮游但又黑白二分的信仰結果發展出量化的實行模式，以適應毫無制約的代代專制君主統治下日常生活的心境，就算君主運用儒術出神入化，仍然不能將所有人的基本善惡觀一道抹去，這些基本遂以絕對和簡化的模式保存在道教和佛教中，並發展出宗教儀式和

善行為自己和他人的惡補償救贖的出路，實行起來就成了用小善贖大惡的後路，殺人竊國可蓋佛寺補贖，傷天害理也可發財立品[5]補贖，這種平庸的善比平庸的惡更可怕，後者是自我放棄本真而陷入麻木，然後因要應付本真不知何時竟從茫茫日常生活中浮出觀照自己以致痛苦，而在仍埋沒於麻木的生活時先予自己的惡以邏輯化說法，待本真浮出時立即以如此邏輯撲滅，前者卻是本真自身進行的計算，這連艾希曼也想不出，他是將大惡非惡行化，但他也沒想過能用蓋路德教堂和贊助納粹傷兵及軍眷基金補償安排滅絕猶太人的物流，因為這等於認知滅絕猶太人為惡，相信我，若他竟有如此認知，他根本不會去做，因為他不能撲滅已有如此認知的本真，最終定會瘋狂。

故平庸的善所以平庸，不僅是因其無所用心、局限和功利，更因為善的本身藉此量化及隨之產生對不平庸的善甚至是平庸或不平庸的惡的可轉換性，從此下去，善惡均變得毫無意義，不只是善惡本身變得毫無意義，而是徹底沒有了善惡，最終只殘存為午夜驚醒時再哄自己重新入睡的符號。

故若社會由散播大惡者主宰，真正要怕的不是平庸的惡，平庸的惡是善惡的顛倒和虛化，仍可補救，儘管付出太多，如戰後大部分德國人終於親眼見到集中營，此後艾希曼式說法對他們來說就只剩下在戰犯審判時盡力一辯的遮醜價值，就算艾希曼自己

---

5 〔編按〕賺了大錢以後就要提高自身的品味與修養，樹立一個良好的公眾形象。帶有貶義。

也只能說當時只是執行任務，當時的認知只知服從命令之善，不知任務本身之惡，若是審判鐵證當日，而不是他的當時，他也無話可說，但在平庸的善的情況下，行惡心安理得，不用說服自己，也不用向人解釋，既不會破壞基本的善惡觀，又能上下逢源，安心幸福生活，成為散播大惡的主宰者的忠實支持和萬世延續，直至社會惡貫滿盈，成為一溝絕望的死水。

II

還記得中學時菁英班的同學，既然成績在握，就服務社會去了，當年學生做義工尚無什麼規模，就是有機構要辦活動，就在門前拉幅橫額，駐在附近社區中心或學校的社工就跟來到的學生說說，就請到幾位義工過來幫忙，順便一道玩玩，就足夠了。剛好官方開始推動中學生服務學習，設計了本印刷精美的義工紀錄簿讓學生申請計畫，頁內有詳細的義工機構和性質分類，各有分數，累加可換獎章頭銜，同時在大學端招生計畫中成為額外的錄取考慮。可想而知，義工行當的規模瞬間膨脹，從前義工就是義工，哪裡都是湊合打雜，或做些專門教學表演，不是了，竟變得跟正規工作一般的分門別類，由庶務、採購，到行政、企畫，一應俱全，供求互相影響，為的是在簿裡準確寫出義工性質以報數，可想像學生對不同性質有所偏好，對口的大學招生部更有偏好，偏好不只性質，發展至對不同機構的偏好，就像正規工作對雇主規模和社會所處的偏好一樣，甚至是有工無人做，有人無工做，至此，一個完整運作的義工生態循環乃至是義工界就橫空成

立了。

義工界欣欣向榮，行有餘力，都去做義工，社會四角均蒙其澤，普羅大眾得到更專業的義工服務，社工機構的服務效能得以提高，各位義工也藉此踏上錦繡前程，除了義工這概念的本身，可想像，一旦義工計畫沒有了，那這些義工也隨之沒有了，他們這麼菁英，既然義工的草已食光，自然再逐水草而棲，管他義或不義。

那能回到從前在邨頭招手請邨尾過來當義工的日子嗎？抱歉，不能，因為義工這概念本身已在之前的義工計畫磨蝕殆盡，已幾近無法再於大眾的意識容身。義工計畫而生的義工行為可算是典型的平庸的善，尤其是布盧門塔爾（David R. Blumenthal）[6] 和斯卡雷（Geoffrey Scarre）[7]（自鄂蘭以降分析論述平庸的惡者眾，滅絕人間之惡乃自人類有意識以來雖從來不能達至卻嚮往的目標，平庸的善作為起碼的一種善，在社會裡少被注意，故亦少作哲學討論，Blumenthal 和 Scarre 是少數深入探討平庸的善的兩位學者）提出並鼓勵那些：既然那些菁英因性格和歷史原因對善本身的道德感有點缺乏，那就用紅蘿蔔，起碼結果是善行吧，然後希望這些善行成為一種習慣，甚至感化他們向善的本身。

一切都很好，除了這一切實在太好，但我看平庸的善如何影響社會實在是個經濟學問題，簡化來說，就是劣幣驅逐良幣，平

6　David R. Blumenthal, *The Banality of Good and Evil: Moral Lessons from the Shoah and the Jewish Tradition*, Washington, D. C. : Georgetown University Press, 1999.

7　Geoffrey Scarre, The 'Banality of Good'? *Journal of Moral Philosophy*, 6: 499-519 (2009).

庸的善會驅逐真正的善，只是我們一般不這樣想，因為義工中的這個義字，讓我們思考成哲學問題，也讓我們傾向對平庸的善寬容，視其為真正的善的次好代替品。問題是真正的善對身心均有一定要求，可想像大多數人不願時刻以真正的善行事，這裡有兩種人：其中多數知道並相信應以真正的善行事，但因身心軟弱而不願去行，另一些則認為善與不善實無所謂，善行與否則看行為於己何益，有就做無就不做，這兩種人的共通點是真正的善對他們的善行甚至一般行為不起作用，前者是知而不為，後者則是知如不知，兩種人的善行最終均淪為平庸的善，若鼓勵平庸的善，那真正的善只會逐漸在第一種人的意識中消失。

容我稍稍離題，為何第一種人對真正的善於社會中繼續存在如此重要？他們知而不為，但因知道而生對自己的虧欠感，隨時間逐漸膨脹，會有兩種可能：一是有刻突然福至心靈，決心填補虧欠而行真正的善，不然就是虧欠感終至太大不能面對，心靈防衛機制自動負向克服而變成善惡也再無所謂的第二種人，一念天堂，一念地獄，左右均舉步維艱，然而社會鼓勵平庸之善的氣氛為他們提供最易走的第三條路，行平庸的善麻醉對真正的善的虧欠，負向克服虧欠並不是消滅真正的善在意識的存在，只是對其存在的負面反應而已，但麻醉則會逐漸導致對真正的善無意識的遺忘以至消失，以他們佔社會大多數，那幾乎等於真正的善在社會消失。或問，不還剩下持守真正的善的人？但他們與剛說的第一種人其實在同一條線上，他們在身心最強壯的一端，跟著是第一種人散落在線的各處，越向對面身心越軟弱，所以越多第一種

人轉行平庸的善，線上的人就越少，持守真正的善的機會成本也越高，真正的善在社會的存在亦越難維持。

平庸的善能在社會生存，或更發揮其善的效果，只是因為社會制度足夠公義、運作足夠合理而已，亦即我們經常掛在口邊用來對比現實的所謂正常社會：正常社會會持續提供各種誘因讓所有人起碼實行平庸的善，因為社會一旦由於歷史原因成為正常社會後，仍須依靠起碼會行善的人維持其制度，不管他們本身善與不善，若其中有人可不做善行，制度一是倒塌，不然就變成不正常社會。

一旦社會成為不正常社會，其制度和運行模式均被相應改變，因為一人不行善而其他人繼續時那一人會得益，眼見如此，其他人若沒有真正的善當會效法那人，所以制度一是太多人轉向傾軋並攫取太多利益，社會承受不住而倒塌成碎片，陷入原始狀態，或最早轉向的少數人已經互相淘汰至能攫取所有利益的剩餘者，或在互相淘汰前已能成功分配所有利益，然後制度由他們向他們自己轉向，可想到這些先行者和隨後的跟風者正是實行平庸的善的人，尤其是那些菁英，既有膽量從平庸的善向平庸或不平庸的惡改弦更張，更在這三者間遊走飄舞：這些不正常社會的運行模式再不需要任何善行，故制度不再鼓勵善行，所以一旦平庸的善驅逐了真正的善，當正常社會因各種原因變成不正常社會後，平庸的善就會像真正的善一樣，從大眾的意識消失，社會制度和運行模式也再無法向善的方向改變，社會亦無法變回正常。

所以鼓勵平庸的善既不能阻止正常社會變成不正常社會，

也不能抗衡在不正常社會中肆虐的惡，充其量如大旱卻飲海水止渴。鼓勵平庸的善不過將善行當善本身理解，將死馬當活馬醫治，因為善不是善行，不能得象忘意，買櫝還珠，但何以鼓勵真正的善，至今日我在寫時仍無辦法，只能顧左右說現代社會發展導致社會內的一切人物事情越發疏離，普遍缺乏同理心，沒有自己與身邊人物事情的接觸何來感情，那又何來同理心，也何來真正的善能扎根成長的土壤？也因如此，菁英多傾向成為上述的第二種人，不是因為性格本來如此，而是多年來從小實行菁英教育的必然現象，本來真正的義工正在培養真正的善，那種無為的、純粹的、對身邊的人從接觸中發生感情以至對他們的同理心，又何以執意將這難得的人與人之間的紐帶切斷，用平庸的義工工作代替真正的義工？

III

不正常社會也不一定見一切善行在大眾的視線消失，不說總有人仍持守真正的善，不管有多少人，我只說跟大眾有關的原因：其一，既然攫取利益都是那種人，利益分配不可能令所有人滿意，可想像這些人互相不滿意時當會如何，一起遵守平庸的善可避免他們被自己毀滅，這是聰明過人的他們不會想不到的；其二，總不能禁絕任何人與人的接觸，只要有接觸，因感情而致的同理心總會播下真正的善的種子，也總有種子茁壯成長，無欲則剛，最後無堅不摧，倒過來鼓勵平庸的善可以抑制同理心發展的機會和規模，避免如斯社會崩塌。

　　再往前推，其實不正常社會也可以像正常社會一樣善行滿街，那平庸與否又有何所謂？有的，若真正的善對實行者算是種信仰的話，如Blumenthal和Scarre觀察到許多人行善如條件反射，但不平庸是因為善本身已給內化，不用理性分析卻如踐行教義那般，那平庸的善在不正常社會中也會蛻變成另一種信仰：由於平庸的善的推廣是為了如斯社會的控制者和受益者，他們會因利乘便將其它對其有利的內容滲集其中，因為平庸的善受實行不需額外付出的限制，內容倒過來很易被他們隨自身利益操控行善代價拉長縮短，舉個例子，路上見人跌倒扶他起來是本能到大家不會特別當作什麼善行的善行，但紐倫堡法案後卻有許多猶太人在路上跌倒但路過的德國人卻視而不見，正是因為扶起跌倒的人實在是舉手之勞，才發現許多扶人者原來只在行平庸的善，扶德國人不用付出，但扶猶太人有機會被人找麻煩，付出太大了，遂扶德國人而不扶猶太人。平庸的善不只代價可隨對社會控制者和受益者的目的改變，其目的也可隨他們的自身利益改變，改變的現象和軌跡根本就是克里姆林宮學，對社會中佔絕大多數的非控制者和非受益者來說，繼續在社會生存而必要的內化終變成對社會控制者和受益者完全的、條件反射式的崇拜的信仰。

　　真正的善是沒有例外的，但平庸的善可加上許多例外，而且能因時制宜，故平庸的善變成社會信仰後不只會導致善的準則的扭曲、任意化與非理性化，更惡劣的是這些社會控制者無可避免地互相傾軋和更替，後人推倒前人的準則，前後準則竟互相矛盾，讓人連崇拜也崇拜不下去，那社會將陷入廣泛的犬儒主義，

對社會中那些佔大多數知道並相信應以真正的善行事但因身心軟弱而不願去行的人來說，是對他們也是對他們仍珍視的真正的善的致命打擊，他們既然軟弱，那他們也只得任由自己與社會一同滑入黑暗，無法改變的黑暗之中。

IV

唐君毅先生無奈用上花果飄零四字之時，離1966年還有五年，已預見人性之惡將吞噬我們的土地，他沒用什麼分析，只是直觀了解到善會隨對自身賴以立足的文化被全盤否定摒棄而一同消失。

人性之惡可獨立於任何體系存在，但善須依靠所在之文化以成具象，故善行可隨文化差異而截然相反，儘管本質一樣。原來的文化沒有了，善就失去寄託，一則保留對原來文化的記憶以為行善的憑據，不然善行則從此於社會絕跡，這是納粹德國的情況，一小撮人持守帝國或威瑪遺下的價值，大多數則隨波逐流，無所用心，隨納粹之惡而惡，是為平庸的惡。

納粹究竟是單純的，希特勒不過想建立他的反烏托邦而已，所以他的惡也是單純的惡，只是他單純的以自己的惡為善，隨波逐流者頂多是對惡麻木或合理化，不至得混淆善惡。這是納粹與蘇共最不同的地方，自然畏懼真空，比希特勒動機複雜的人自然不會任由原來文化被清洗後遺下的空間閒置，但要將空間據為己有絕不簡單，既已清洗原來的文化，那就需要借用或發明新的體系以填充，既有個人動機，那體系當然要為動機服務，不然為何

要費心力填充？沒人能夠憑空創造全新的文化體系，其建築和內容或多或少受自身經歷影響，故新文化通常與原來文化相似，因利乘便，人民容易適應接受，統治者也容易將為個人動機服務的元素注入而不被發現，史達林主義大概走這條路，將沙皇體系換了頭和術語大幅借用，並將沙俄政府的恐怖手段更新發展成自己的恐怖手段連同理論，當中最大的發明是從手段引申出理論，如日丹諾夫主義[8]，然後讓手段看似服務於理論，為手段創造非馬基維利的合法性。

新文化的飛躍有賴史達林的死亡，人民以為原來的文化會至少以殘存的方式在社會恢復，但後史達林的蘇共集體領導卻向意想不到的地方轉向。因為領導者之間有持久且不可調和的利益衝突，他們並不能全盤控制執行史達林主義的所有公權力，也就無法繼續執行，只好以他們之間所有利益的妥協結果為標準，將史達林主義去蕪存菁，剩下能執行且對所有他們有利的部分。另一邊，由於他們麾下的公權力已沒法完全控制人民，只好承認人民對原來文化的記憶和堅持——就當時社會狀況，知識分子與服膺知識分子精神的人在社會佔比不輕，且大多在史達林主義發明前已長大成人——重新加入原來文化的表徵以期在領導集體仍能控制的情況下，給人民恢復原來文化的印象換取人民對領導集體的不反對，這種妥協的妥協只是四不像，體系內自相矛盾的價值屢

---

8 〔編按〕日丹諾夫主導蘇聯文化政策的意識形態，要求藝術家、作家和知識分子在創作作品時和黨保持一致，加強了蘇聯政府對藝術的領導。

見不鮮，只靠最實務的解釋逐次自圓其說，如此原來文化的善都變成平庸的善，所有語言都變成雙語，所有人都變成犬儒，延續現行社會狀態最後變成所有人追求的唯一目標：既得利益者要延續他們的利益，其他人視之為比史達林主義較輕之魔鬼，記憶猶新，且已習得無助，最後理性只剩以不變應萬變，權作容忍終扎根成惰性，社會陷入胡薩克式靜止[9]。

為何如此社會竟能延續？哈維爾曾預測靜止只是暫時的表象，捷克是的，但不見得整個蘇聯勢力範圍皆是，東歐和波羅的海的決定因素是當地的領導從東方強加頭上的代理，當地人從一開始就已警戒，人類排他的本能避免他們習慣無法改變的現狀以成無助，原來的文化成了當地人之為當地人的標記並因而不惜生命去保存，靜止的表象則隨時間越加積累爆發的能量，將頭上的外人連其或好或壞的文化一道爆回東方的能量。但若如蘇聯般如此文化自土生土長的演化，胡薩克式靜止卻是均衡狀態，既得利益者與其他人的關係如癌細胞與其他細胞的關係，根本同體，恐怕殺癌一千自損八百，恨極卻投鼠忌器。

明白蘇聯勢力範圍的經驗，就明白統戰的意義，強加頭上的代理永遠都是外人，利益發放可短期在代理身邊聚集一批當地的支持者，但利益不能長期發放，支持者不能長期收到利益也就不能長期支持他們頭上的代理，所以需要用比利益更深層的方法，直指內心，訴諸文化以提取令他們支持那位代理的價值，是為統

9　哈維爾〈致胡薩克的公開信〉中對其治下社會的形容。

戰之核心。面對越多人越好合用的自創文化正是前述後史達林那種，在我們的土地上則是披上儒術並縫上最簡化版的佛教和道教斷片外衣的共產實務概念和術語斷片，見諸禮義廉、俊傑官僚、契弟契仔女[10]等北方代理支持者內化後的言行，可概括作忠誠勇毅和蛇齋餅糭[11]，兩者實乃平庸的善的一體兩面，剛好覆蓋整個社會：對上沒有義的忠誠勇毅，才能不假思索卻自覺頂天立地，支持自己頭上的北方代理；對下沒有愛的蛇齋餅糭，才能如野人獻曝不斷向旁人施捨平庸的善以期旁人染疫後一道忠誠勇毅。他們如派炭疽信的喪屍，受自創文化統戰後價值扭曲，儘管大部分善行看來跟原來價值之所為仍一樣，舉例說，老人之老[12]不是發願就是隨興，蛇齋餅糭卻是可預期的規律行為，長者接收到的遂大多為平庸的善行，雖然長者本身在他們的原來文化裡並不平庸，但不平庸的善比平庸的善更要求感恩圖報，結果如聶政刺俠累，大善用於泥沼，掌心雷報一飯之恩，旁人看是淪喪，自己卻覺得必然，環視自身能以報答的就只剩自己的手掌，也只得當仁不讓，或有或無所謂，但他們大部分會視個人之報恩高於眾人之事，是正常的遠近之別，結果言行逐漸與受統戰者趨同言行，背後的邏輯也隨之趨同，再以人身影響身邊的人，至此不平庸的善

---

10 契弟為廣東話粗口；至於契仔女，全詞是「西環契仔契女」，指由位於西環的中央人民政府駐香港特別行政區聯絡辦公室培養或支持的香港從政者。

11 〔編按〕在香港，有時有政黨出於利益派發給市民的各類食物、禮品、免費活動等小恩小惠的統稱，通常指以隱晦的小賄賂來籠絡人心。

12 全句應為「老吾老以及人之老」，但顧及文中所指者的修養，老吾老容易，老人之老難，故下筆如是。

行結果與平庸的善行產生相同的結果，儘管這結果與不平庸的善背後的價值——原來文化中的價值——相違背，亦即從報恩可進路至掌心雷但掌心雷不能後退回到報恩，因為若掌心雷已違反自身價值，根本就不會作前題存在，只有從自創文化引申出的平庸的善才能不假思索的禮尚往來，而當結果越來越廣泛在社會出現，能合理化現常的平庸的善會驅逐不平庸的善，其背後的自創文化亦會隨之驅逐原來的文化，因為人最終對指涉己心的事總須一個解釋或至少一個說法以安心立命，必要時精神鴉片也要，遂不用代理血刃，是為統戰的終極目標。同樣邏輯，當公權力已抹殺社會上的所有選擇，那忠誠勇毅也無再關乎平庸與否。

這是唐君毅先生無法預期的，他相信被清洗殆盡的文化遺下的空間終會隨尤利西斯一道歸來，所以才寄望諸野在黎明前盡力保守原來的文化，到現在，空間已給佔據了，諸野零落如同草莽，也許我們可藉嘗試了解從來沒特別留意的平庸的善得到一點力量，或至少一點希望。

後記

星期六清晨，甫出門遇家長成群結隊帶著他們的小學兒女賣旗，我當然會買，是應該鼓勵孩子行善的，爾後見前街家長點算賣旗剩下的穿洞貼紙底本，剛好賣了一版，跟孩子說目標已達，可鳴金收兵，班師回朝云云，說著從大衣袋中掏出那本義工紀錄簿，看錶記下時間，拖著孩子遠去，卻不見迎面而來越多的行人襟前均沒貼旗，也許行人也沒見急步已過的那影中還有起碼一版

完好的旗。

我也繼續前行，昨晚大型會演籌款電視聯播，我當然沒看，怎知的，就在前面的報攤，碩果僅存的報紙，頭版是廣告，誰人什麼機構慨捐多少個零給昨晚那慈善，很多，然後是下版多少政商鉅子蒞臨節目蓬蓽生輝，之前的各種發言、之間的合照排位玄機、之後的各種傳言，乃至最底之娛樂版誰出席誰表演誰的醜聞，凡此種種，幸好我還記得之前賣節目廣告時說籌款做什麼慈善，好讓我看看今早散盡成本以後用不用運鈔車送善款至銀行，當然沒有，只有凍死骨眾，和他們膝下剛被我被迫讀到的報紙。

我只好繼續前行，橫額撲眼而來，橫額前杯盤狼藉，看得出昨晚觥籌交錯，不用猜測，只上望海報，墨色未乾，辛苦議員助理，三更蛇齋宴畢，五更相片海報俱備，好奇心驅使之下，且稍駐足一看，相中天下寒士俱歡顏，議員奔走各圍如明星過場沿途的喝采追捧，躍然紙上，音容宛在，回頭一看不正是剛經過之眾骨之叢，他們不正望我，掉哪媽[13]，何堪掩面，我只好睜眼直視，未完，議員辦事處前電視已著，賣自己的廣告，成功爭取盡斬當區英雄樹，保護老幼呼吸系統，然後成功爭取清除通識各科，並清洗教育制度中不符北方宗主賜下之核心價值之人事，保護國家未來的主人翁不受井外的空氣荼毒，大哉，主恩浩蕩，如東方紅日，欲報之德，昊天罔極，我年齡層不對，無福消受，只得回想，議員愛選民之子如子，對口的政府官員急議員之子之所急，嘴邊

---

13 袁崇煥激勵軍隊用語，全句為「掉哪媽，頂硬上」，後成撐粵語運動口號。

常掛「在幫你」,「為你好」,不惜背負井外所有人的千古罵聲,橫眉冷對,如文宣寫的堅守初心,幼什麼幼以及人之幼,環看遠近稚子均嗨賴賴[14]的、帶著我似乎永不能明白的感情,望著我就在此刻竟不再熟識的天空,還有因此從此萬世不墜的烏托邦,大哉,我又何德,竟親眼見證大同盛世臨格——除了我竟還不識時務的記得這些議員和官員的子女均是送出井外接受教育的,他們受北方宗主所令為人民含辛茹苦所建的烏托邦顯然沒有包括他們自己,我想,真的不幸,他們忠誠勇毅,對宗主之忠誠超過豎刁,對清洗一切荼毒人民的人事之勇毅直比吳三桂,卻竟如梅瑟臨到應許之地卻不得入,誠可憾哉,除了我竟在此刻瞥見他們不自覺流露慶幸的一抹笑容。

我仍得繼續前行,因為不是做夢。

憤怒出詩句。憤怒是人類最貼身、最自發的情感,其表現或對人對己造成嚴重傷害,卻又不顧後果的冒出,到現在,我們的土地上憤怒竟也平庸,君不見朝堂上袞袞諸公,忠誠勇毅無可挑剔,卻在直播會中經常表現憤怒予其忠誠勇毅之對象,既然無限好,憤怒何以?這種平庸的憤怒其實不過為代理服務,在他們已服膺的自創文化裡一切皆為代理服務,因為這是自創文化的源起和生命,所以他們的一切皆平庸,空餘落草為寇者偶竟見鬼一瞥其言其行而怒不可遏,午夜無眠,抓筆奮書,朱明承夜,猶恐五更將至,然時窮文盡,寫擦凡三亦不得回轉,無奈見墨乾透垂永

---

14 陳冠中小說《盛世》中的國民情狀。

恆，臨文涕零，不知所言，傾盡滿紙廢言，且擱筆。

2021年9月2日初稿
2022年2月3日修訂

[8] 自我身分

> 哈姆雷特:「生存還是毀滅,這是一個值得考慮的問題 (To be or not to be, that is the question);默然忍受命運的暴虐的毒箭,或是挺身反抗人世的無涯的苦難,通過鬥爭把它們掃清,這兩種行為,哪一種更高貴?」(據朱生豪譯本)

不管有沒有看過莎士比亞的戲劇,都一定知道這句名言。這句舞台上的獨白,這個存在問題,想不到對我們香港人是如此有意思:「默然忍受命運的暴虐的毒箭,或是挺身反抗人世的無涯的苦難。」我們當然不至於面對死與生的抉擇問題,但從去年至今香港的大變,讓我們面對自身的存在問題:香港死了,我們繼續留下來抗爭?忍氣吞聲接受打壓命運?還是離開這家園避秦而去?

我在這系列文章第一篇已經說過,我們的存在危機是因為香港政治局勢而出現的。疫症之下,身體不自由,一年半載應可解決,但精神不自由,卻要很長時間才有轉機,甚至可能在我有生之年也看不到。

故此,留下或離開,這就是我們當下的存在問題。不過,留或不留,我們都是流亡人。

　　我們這批 1949 年後在香港出生的一代，不知道戰爭殘酷的苦難，不理解離鄉背井的悲哀。但與我們同時在香港的有大批中國人從大陸逃難而來，他們經過的是從抗日戰爭到內戰的長年戰亂苦難，朝不保夕，生命隨時受威脅，逃離家園，流亡出來。在那大時代，無數人都面臨存在的抉擇，留下來迎接新中國共產烏托邦神話？跟國民黨搬遷到台灣？逃亡到海外做難民或移民？或者來這個英國殖民地苟且偷生？結果，不少民眾、商人、廠家和知識分子選擇了來香港，一個有自由法治但沒有民主的地方。

　　新亞書院創辦人之一唐君毅老師便是其中一個。和很多流亡來港的知識分子一樣，他從不以香港為家，來此只不過是無可奈何的選擇，大陸和台灣都是極權統治，不尊重人權，封殺思想的地方。對比之下，香港放任自由，經濟為先，政治次要，可以批評共產黨和國民黨，也可以容許知識分子在此思考和創作。是以暫寄居此地，盼望中國能夠撥亂反正，早日回歸祖國故鄉。可惜事與願違，政治局勢沒有變好，只好接受流亡學者的身分，歸國無望。1961 年唐先生在《祖國週刊》的〈說中華民族之花果飄零〉很清楚地道出當時中國知識分子在香港的悲涼心態。唐先生認為當時的中國，政治、文化和道德已解體。他說：「如一園中大樹之崩倒，而花果飄零，遂隨風吹散；只有在他人園林之下，托蔭避日，以求苟全；或牆角之旁，沾泥分潤，冀得滋生。此不能不說是華夏子孫之大悲劇。」

　　這種飄零感反映在他對寄居之地的看法：「香港乃英人殖民之地，既非吾土，亦非吾民。吾與友生，皆神明華胄，夢魂雖在

我神州，而肉軀竟不幸亦不得不求托庇於此。」唐先生是指香港不是中國，不能也不會產生任何歸屬感。他的身分是「中國文化人」。是以唐先生和他一輩留港的知識分子，心中沒有香港這地方，不關心此地民主和文化情況和發展。他和錢穆等創辦新亞書院，是守著中國文化，放眼世界，最終是回顧中國，香港不在他們的眼中。後來牟宗三先生也曾說：「香港與我，互不存在。」

　　唐先生看不出有任何出路。對共產黨摧殘中國文化感覺絕望和無奈。既然外在世界我們沒辦法改變，只有轉回自己的內在意識，肯定我們的自身價值，他提出的「靈根自植」就是要保存我們生命存在價值之根源，固守其道。唐先生所指的當然是中國傳統文化，尤其是儒家思想，重新理解和弘揚中國文化精神，這就是唐先生一生工作的抱負。「由對我們所依所根以存在者之自覺，而我之生命存在即通接於我之祖宗民族、與歷史文化、禮俗風習。如此探本溯源尚可通接至我們生命所依所根之天心與自然宇宙。我們欲保此天心之不搖落，自然宇宙之不毀滅，亦是保守。」他和牟宗三、徐復觀、張君勱在1958年合撰的〈中國文化與世界〉的宣言，成為新儒家的經典，向世界宣示中國文化的中心思想和價值。簡單的說，流亡海外「花果飄零」是外在問題，只要我們能植根於中國傳統文化（儒家）在我們意識之中，我們的存在便有所依據，在世界那一處生活都沒問題。唐先生終其一生都在香港度過，在所有主要的著作確定這「保守」根基，然而，他再沒有機會重回故鄉，老死於香港。

　　我念大學時有幸上過唐先生的課，受他的宏大哲學和文化思

想感染，雖然在課堂上從聽不懂他的四川國語，但深深佩服他的學問與人格。十分可惜，我並沒有接受他「花果飄零」的想法，也不受新儒家影響。新儒家影響海外華人和西方學界很大，但在香港似乎並沒有得到重視。因為這理論對我們這一代香港人並無直接關係。我不能感受他對中國文化淪亡的切膚之痛，因為我是香港人。

我提唐先生「花果飄零」的理論，是想對比他們在 49 年前後，抉擇離開或不離開大陸的困境，和我們現在香港留或不留的矛盾。唐先生那一代要面對即將滅亡的中國文化而做選擇，我們是體驗香港在眼前死亡而作的反思考慮。

七十年的相隔令我們的危機處境不一樣。49 年大陸是戰火蹂躪下的地方，生命財產沒有保障，一切都在混亂之中。2019 年的運動是港共政府一手造成，下半年的抗爭暴力是警暴和謊言的結果。今年國安法是埋葬「一國兩制」的最後一著。7 月之後，香港表面平靜，遊行示威沒有了。弔詭的是，政府吹噓香港似已恢復「正常」，「馬照跑，舞照跳」，「繁榮穩定」肯定再次在香港出現。毋庸置疑，這只是假象，香港一去不復返，已植根在無數港人心中，也是無數港人希望離開的原因。對當權者的獨裁專制絕對失望，對警暴的控訴而無奈，對香港固有的規矩、價值、意義全部顛倒而悲痛。這些事情都在過去一年多在我們眼前發生。我身邊不同階層，不分男女老幼，知識分子或普遍市民都有這共同悲情。這正是前輩李怡先生所言之「香港覺醒」，他說：「2019，必將記載於歷史上。這一年，香港覺醒。是近二百年歷史中里程

碑式的覺醒。有些突然，但也由來有自。是香港市民的覺醒，一代人，會延續到下一代和下下一代人的覺醒。從此，香港走上一條不歸路。再不會回頭。」在他這本書[15]中，詳細分析和反思這一年的運動，解釋覺醒的意義。我不需在此多說。

我們覺醒了，但又如何？還得要面對自己和世界，也要繼續生活下去。這個覺醒了的「我們」是什麼？與唐先生不一樣，他沒有身分問題，從出生到死亡從未懷疑過他是真正的中國人，他「覺醒」的是共產黨將傳統中國文化摧毀了。我們同樣「覺醒」的是「香港」被極權謀殺了。唐先生將中國傳統文化最美好的價值內化在自我意識之中，是以「靈根自植」，自覺永遠是真正的中國人，到世界那一個角落生活都是一樣。我們肯定自己的身分嗎？什麼是「香港人」？毫無疑問，在香港出生的人，從來就是在這「不中不西，又中又西」的文化中成長，過的是中西合璧的生活。自由和法治是理所當然，大部分人都不需要關心如何保衛這些核心。當然爭取民主運動遠在80年代開始，雖然努力但成果不高，最後也以為基本法會將民主真正帶到香港。到97之後，香港的核心價值慢慢被蠶食，民主運動變得毫無意義，直到今年完全喪失了，一切都是虛假的承諾。在這死亡過程裡，我們突然發現到我們賴以存在的價值和信念也在毀滅中，原來「香港」對我們是這麼重要。所以有以百萬計的香港人起而反抗，盼望能夠拿回應該有的權利。但強權暴政將一切反對聲音和行動鎮壓下

15〔編按〕《香港覺醒：2019，歷史的里程碑》，李怡著，香港：升出版，2020。

來，白色恐怖籠罩全城。

從這一角度來看，我們和唐先生一樣，要為我們的存在重新定位。我們要做「新」的香港人，接受一切政權的安排？還是將憤怒埋下心裡，等待機會爆發出來？或是離開這個地方，到有民主自由法治的國家寄人籬下，成為新一代的「花果飄零」？或者，到任何可以收容我們的地方，只要有自由，便忘記過去，將「香港」遺忘，將自己和下一代儘快融入當地社會文化？再或者，覺得人類本身對命運不能主宰，隨遇而安，不用也不需要抉擇，認命罷了？但有一點是肯定的，我們一切面對的問題，緣起於逝去的香港，所以我們已成為自覺或不自覺的「流亡」者。

不過我們這批流亡者，和歷史上其他流亡民族不一樣。流亡了兩千年的猶太人，無論在何時何地，受盡折磨苦難，他們仍然堅信以色列是所有猶太人結束流亡的允許地。唐先生的流亡，心中仍然存在一個儒家文化作為歸宿。我們呢？何處是原來的香港，可以安頓我們呢？

我對留或不留，沒有確定和唯一的答案，因為這去留危機最後是每一個人憑藉自己的良心、理性和知識所作出的抉擇，沒有人可以代替你去做決定。但無論如何，每一個決定都是重新界定你的身分。是以回到文章開始莎士比亞的問題：To be or not to be, that is the question.

2020 年 10 月 21 日

155

參考資料：

1. 唐君毅，《說中華民族之花果飄零》，台北：三民書局，1975。
2. 黃冠閔，〈飄零乎？安居乎？—— 土地意象與責任意識〉，《中國文哲研究通訊》第十八卷，第二期，2009。

[9] 希望和絕望

　　20世紀經典電影，1939年的《亂世佳人》(*Gone with the Wind*) 終場前最後的畫面：郝思嘉站在台階上，在絕望之餘又燃起了希望：「陶樂莊園，我的家！我要回家。總有一天我會讓他回來的！畢竟，明天又是新的一天！」(Tara! Home. I'll go home, and I'll think of some way to get him back! After all, tomorrow is another day!)

　　經典的一句「明天又是新的一天」從絕望燃點了一些希望。電影強調郝思嘉永不言敗的精神，儘管歷盡滄桑失敗，仍不投降，繼續向命運挑戰。今天雖然倒下，明天再起來奮鬥，終有一天「我要回家」是會實現的。當然，電影結束了，也沒有說她如何回家，然後用了什麼方法可以「讓他回來」。畢竟這是電影，但這部八十年前的經典作品暖了我們香港人的心。

　　肯定的是，單說「明天會更好」是沒有用的，主觀良好意願是不足夠的。如果只是一種願望、欲望而沒有實質行動，則流於祝賀他人「福如東海，壽比南山」一般空言而已。

　　中文語詞：願望、希望、盼望、欲望、失望和絕望和英文相關名詞不一樣 (expectation, hope, looking forward, desire, hopelessness, despair)，全是從「望」所衍生。「望」為會意字，「甲骨文字形……像一個人站在一個高出地面的土墩上翹首遠看的形狀」。因此之

故，希望、失望和絕望全部和我們能夠向前面看見，即是和將來的時間和將去的空間有關係。可惜的是，中國沒有「希望」的哲學。儒、道兩家沒有討論「將來」的理論，相信這和中國文化對時間之循環理解有關係。（佛教有彌勒未來佛的理論，顯然對時間有深刻理解，「希望」和「未來」有必然關係。在此因篇幅問題，不能詳細討論）

「希望」在西方文化卻來得重要。根據希臘神話，天神宙斯為了懲罰普羅米修斯盜火之罪，遣送潘朵拉給其弟埃庇米修斯，他因為好奇將潘朵拉帶來的盒子打開，將內裡隱藏的所有罪惡：災難、戰爭、痛苦、疾病等等全釋放出來，蓋上盒子時只有「希望」留在其中。潘朵拉盒子（Pandora Box）神話有不同的解釋。其中一個是人世間儘管充滿罪惡和苦難，人類仍然擁有「希望」，而這是唯一對抗苦與惡的能力。但希望不一定是正面積極的，也可以是消極的，因為比天神宙斯更高的是命運之神摩伊拉（Moirai）。「希望」雖亦是一女神（Elpis），但顯然是受宙斯和命運所決定。人類更不能自主控制自身的命運，一切期待都可能落空，故希望亦可變成絕望。所以留在潘朵拉盒子的「希望」最後都是人類的美麗願望而已，並無實質意義。19世紀哲學家尼采（Friedrich Nietzsche）認為「希望」是宙斯留給人間最大的惡之一，因為「希望」帶來更多不可能實現的願望和夢想，因而失望和絕望給人類更大的苦難。

基督宗教自始肯定神的答允，「希望」是信仰的確定。詩篇：「求你記念向你僕人所應許的話，叫我有盼望。這話將我救活了，

我在患難中，因此得安慰。」（詩：119:49-50）新約中保羅強調教義三要為信、望、愛：「因盼望我們主耶穌基督所存的忍耐。」（帖前 1:3）盼望是因為有信心，而動力來自神的愛。基督徒不可能絕望，因為堅信神的公義和博愛，一定來臨人間，罪惡苦難最後會被消滅。希望和盼望是主耶穌在我們心中的見證，是以基督徒以不屈不撓的精神，對抗強權暴政的打壓，因為透過我們的互愛彰顯了神的博愛，從而確定信仰的真確性，希望便是真實的。兩千年來基督教徒每年復活節紀念耶穌死後復活，期盼耶穌再臨人間，進行最後的審判，回應人間無數要求公義的希望。但是人類也等了兩千多年，耶穌仍未再來。

西方哲學家康德（Immanuel Kant）提出哲學最重要的三條問題：「我能夠知道什麼？我應該做什麼？我可以希望什麼？」（What can I know? What ought I to do? And what may I hope?）康德是西方啟蒙運動最偉大的哲學家，確定理性是人類最重要的能力，但同時是有限制的，因為我們是有限的存在，只能在我有限的認知能力（純粹理性）去理解現象世界；同時我們要遵循道德法則（實踐理性）去成就我們的道德生活。這種認清楚人類獨有的理性能力，康德判之為人的「覺醒」，這就是「啟蒙」。他說：「啟蒙運動就是人類脫離自己所加之於自己的不成熟狀態，不成熟狀態就是不經別人的引導，就對運用自己的理智無能為力。當其原因不在於缺乏理智，而在於不經別人的引導就缺乏勇氣與決心去加以運用時，那麼這種不成熟狀態就是自己所加之於自己的了。Sapere aude！要有勇氣運用你自己的理智！這就是啟蒙運動的口號。」（依何兆武

譯本）理性的開啟，亦是真正自由的確定。「希望」就是跟隨每個人的理性，則人類盼望的「永久和平」宏願最終會出現。

啟蒙思想家相信理性是人類掌握自己命運的能力。理性帶來樂觀精神，這希望將世界成為更合理更美好的地方，人類的需求得到滿足。

是以啟蒙運動是一個充滿了希望、進步、信心和樂觀的年代。從18世紀已經開始的科技革命和工業革命將西方帶來前所未有的繁榮發展，同時亦將全世界改變過來。19世紀末期見證了人類文明的高度發展，醫療、教育、工商業、城市化等等都是歷史上從未見過的成就。這是西方文化的科學和理性的勝利。17世紀英國哲學家培根已說明，人類的進步不需要依靠信仰和道德，而是科學知識，因為「知識就是力量」。他死前的一本烏托邦小說《新大西島》(New Atlantis) 書中提到設置科學研究所，發展科學和科技，最後烏托邦是可以實現的。

然而進步、和平與繁榮是表面的。20世紀是人類文明最大的災難：兩次世界大戰、種族滅絕、戰爭不斷、恐怖主義、法西斯主義、納粹主義、共產黨極權主義等等，帶來人類歷史上從未有過的苦難，以百萬計的人無辜慘死，流離失所，人間地獄無數。我們可以說這是有理性、幸福的年代嗎？正如我在本部第七篇所言，極端惡只有在20世紀才完全顯露，因為成就極端惡的原因是一種與康德強調的理性不同，一種工具理性。戰爭的武器，從坦克車到原子彈，都是科技工具理性所衍生出來。集中營系統的殘殺亦依管理理性執行的。在這些極端邪惡 (atrocities) 中沒有康

德的「實踐理性」（也就是道德理性），也沒有神的公義。

這也是從希望到失望，再落到絕望的境況。二次大戰後大部分的存在主義者都是對文明持悲觀態度。任何正面的意義，傳統道德價值全瓦解了。人生是荒謬的，「上帝已死」引發出的虛無主義，沒有什麼可以相信。人生除了吃喝玩樂之外，一切談什麼「超越」都是廢話。19世紀德國悲觀哲學家叔本華（Arthur Schopenhauer）說過：人生永遠在痛苦之中，世界是以盲目意志所驅動，沒有任何理性價值，一切幸福都是假象，希望更是一種注定失望的想法。所有生命的掙扎最後是「無用的激情」（useless passion）而已！

再者，科技理性給人類對自然界無限制濫用開發，供應永不滿足的貪婪欲望，以致環境汙染、溫室效應，無數動植物被滅絕，人類到了滅亡危機仍不覺醒！民主、自由、人權、平等，高唱了一百多年，世界和平了嗎？政治更開明嗎？人權真正受尊重嗎？極權統治者，無論是在東方或西方，都會口頭上肯定所有民主人權等價值，但什麼是民主自由，只由他獨裁者去確定。兩千多年前柏拉圖（Plato）在《理想國》探討什麼是正義時，已提出這問題：「強權即公義」（might is right），柏拉圖當然不同意，絕大部分的哲學家都不同意。我們也不只是在理論上、在課堂上、在學術研討會上批判「強權即公義、即真理」！可惜現實上，強權就是公義，就是真理！

從這悲觀論調來看，我們就是要放棄希望！香港已逝去，一切希望都是空話，手無寸鐵的市民和書生如何對抗龐大的極權

暴政？因此我們絕望了嗎？或者，我們沒有期望，故沒有希望，也不會絕望！接受命運，不是最好的生存策略嗎？不過，放棄希望，同時放棄自由，亦放棄將來，最後放棄自我，因為人生已變成沒有自主性的存在。

我在這篇文章談了這麼多的希望的觀點，同時對比樂觀和悲觀的思想，就是想點出「希望」是每個人都容易說出的話，但如果我們要想清楚「希望」的含義，其中有很多衝突矛盾的地方。「希望」要建立在信念和知識上，不是盲目的樂觀，也不是無情的悲觀。

孔子在《論語》不是說過：「道之不行也，已知之矣。」然後又說：「知其不可而為之！」儘管是悲觀，但仍然是樂觀的行事方向。世界永遠不是理想之地，烏托邦不會在世界上實現。在希望和絕望之間，在樂觀和悲觀之中，仍有存在的正面價值！人與人之間的關懷，人對大自然的關心，處處都可顯露希望的痕跡。我不相信命定主義（fatalism），人類歷史雖然充滿無數邪惡、醜陋、災難、不公義的惡行，但亦有同樣多的美麗和希望的事情：聽聽莫札特的音樂、古琴，喝杯普洱茶，看看大自然秋天景色，吟李白的詩，我們便相信人間仍有價值，仍可以有意義的活下去。

香港有何出路？我沒有方案，但我相信集合大家的意志和智慧，加上全世界相信真正自由民主的人士支持，我們便有希望，正如文首郝思嘉所盼望：「我要回家」是會實現的。

2020 年 10 月 27 日

[10] 寬恕

　　1970年12月7日，當時的西德總理布蘭特（Willy Brandt）到波蘭華沙猶太人紀念碑前獻花，之後突然跪下，向曾經在納粹暴政下被殘殺的死難者認錯、道歉和懺悔。這「華沙之跪」開始了德國和波蘭在二次大戰引發的傷痛療治過程。布蘭特在大戰時沒加入納粹黨，他後來流亡北歐參與對抗納粹德國的地下運動。他不是納粹主義者，沒有參與殘害猶太人，為什麼要代德國人向波蘭道歉懺悔？

　　當然這是政治行動，儘管布蘭特事後強調「跪下」並不在行程內，他下跪，因為「在德國歷史的深淵裡，在數百萬被殺無辜人類的負擔下，沒有語言可以表達我的罪咎感。」他跪下是向受難者認錯和請求原諒。但似乎他再沒有公開道出懺悔和祈求寬恕。直至到2019年，德國總統史坦邁爾（Frank-Walter Steinmeier），在納粹轟炸波蘭八十週年才公開向「德國暴政的波蘭受害者致敬，並請求寬恕！」

　　以百萬計的波蘭和猶太死難者，死去的和還活著的，他們的親屬朋友，真的可以接受德國領導人公開祈求寬恕，就能夠將痛苦憤怒悲慘的經歷放下，將怨恨和報仇忘記？

　　或者那些行惡的人已受了懲罰，或者受害人已有了賠償，我

們便可以原諒和寬恕過去的罪行？

「寬恕」是日常生活中常見的現象。我們每個人都會做錯事，有意的或無意的傷害了他人。出錯之後同時承認犯錯的是自己時，我們多會認錯、懊悔、求原諒、抱歉、承擔後果；嚴重的便懺悔、接受懲罰、希望和解、糾正錯失、祈求寬恕、重新調整關係。當然亦有不少不承認錯誤，不接受責任，更不需要講寬恕。事實上，人與人之間這種傷害，被傷害、憤怒、悲怨、憎恨、糾纏不清的感受，有時長久也不能和解，而遺憾或憤恨終生。

事實上，「寬恕」並不是簡單的事情。人可以原諒和接受道歉，但可能不會忘記苦痛。寬恕理應更深一層次，接受犯錯人的罪行和饒恕他或她帶來的痛苦，將過去憤怒平息，是受害者對傷害人的一種接納，依德希達（Jacques Derrida）所言，一種「禮物」。但普通人可能做不到。

是以基督宗教說寬恕的能力最後只有神才能擁有。「除了神以外，誰能赦罪呢？」（馬可，2:7）又說：「你們饒恕人的過犯、你們的天父也必饒恕你們的過犯。」（馬太，6:14）（留意兩處經文「赦罪」和「饒恕」在不同版本的英文聖經都是forgive，應是寬恕。）我們有「赦免」和「饒恕」他人過犯的能力，全因為耶穌的慈愛，不記仇恨，愛我們的敵人，不談報復，以博愛消弭人與人間紛爭。但當然到了最後大審判時，所有人都要重新判定為義人或罪人，只有義人得永生，罪人並沒有得到寬恕，永遠受罰，受地獄之火燃燒。如依聖經啟示錄所言，人類最後得到的不是寬恕（forgiveness）而是報應（retribution）。

對於不相信基督宗教最後報應的人來說，過去一世紀極權政府對人民所犯下的極端惡，不可能等待最後審判的來臨，是以納粹戰敗後的紐倫堡戰犯審判，是還無辜慘死猶太人的一點公道。但這極端惡是不可饒恕的罪行，任何懲罰都不能填補受害人的苦難和痛楚，不能忘記，更不能寬恕。

南非種族隔離者犯下無數鎮壓黑人的罪行。曼德拉領導南非黑人在經年累月奮鬥下，1994年南非人民終於得到自由。為了消弭國內種族的仇恨和矛盾，1995年11月成立「真相與和解委員會」（Truth and Reconciliation Commission），實現「在弄清過去事實真相的基礎上促進全國團結與民族和解」。任務是：

一、全面地調查自1960年3月1日至1994年5月10日這段歷史時期內各種嚴重侵犯人權事件的真相；

二、讓受害者講出真相以恢復他們的公民尊嚴，並提出如何對這些受害者給予救助；

三、考慮對那些服從政治指令、嚴重侵犯人權，但已向真相委員會講出所有事實真相的犯罪者實施大赦。（摘自網頁）

這個調查委員會和紐倫堡審判不一樣，目的不是懲罰而是和解，消弭和安撫人民心中的怨恨和苦痛。「真相」最後公開向世界呈現，以往種種暴政下隱瞞的罪行終於暴露出來，以前所謂「依法執行」的打壓行為，根本上違反人權和法治精神，侵犯了民主自由社會的普世價值。所有這些罪行是要公開譴責，及對受

害人加以賠償。

但是和解不等於寬恕。了解真相當然是最重要的事情。但真相不能平息受害人內心最深刻的苦痛。這種苦痛如不能消除，寬恕無從可說。

1980年韓國獨裁政權打壓學生與群眾的光州事件，要等到1997年，十七年後才平反。1979年台灣國民黨暴力鎮壓民眾的高雄美麗島事件，要等到1990年，十一年之後李登輝才簽署特赦令，美麗島政治犯重獲自由。暴政鎮壓最後被人民推翻了，公義重新討回來，平反、特赦可能平息了社會的憤怒，但是受害人或其後人真的可以接受政府公開道歉、可以釋懷，因而忘記和寬恕這段慘劇？我不知道。

經過一年多抗爭運動給香港人的悲憤和痛苦，儘管不可能和上世紀人類暴政極權所引發的災難比較，但令我可以親身感受到猶太人、巴勒斯坦人、南非黑人、亞美尼亞人、盧安達人、越南人、南京人、廣島人、南韓人和台灣人等等無數在人為災難中無辜人民的痛苦！理解一點無數為爭取民主自由的抗爭者的悲憤。我強調的是每個個人的痛苦，不是民族，更不是國家！一個「真相與和解委員會」是起碼的要求。但是有了真相，並不等於忘記和寬恕。

如果要談寬恕，德希達提出要求是「寬恕是寬恕不能寬恕的事。」（ to forgive is to forgive the unforgivable! ）

近日看了BBC一個關於審判仍在世納粹軍人的紀錄片：《奧許維茲的會計師》（ The Accountant of Auschwitz, 2018 ）。納粹親衛隊奧

斯卡‧格勒寧（Oskar Gröning），戰後過了幾十年平靜生活，直到2014年，以九十三歲高齡受審，2015年7月15日，他被判協助殺害至少三萬名猶太人罪名成立。判刑後其中一位在集中營僥倖生存的證人，伊娃（Eva Mozes Kor）上前與格勒寧擁抱，當眾宣布：「格勒寧先生，我寬恕你，正如我已經寬恕了所有納粹分子，納粹帝國不會實現。告訴其他年輕人。」伊娃的話引起無數猶太人反感，納粹的極端惡是不可能寬恕的。伊娃背叛了自己的民族。伊娃是錯的嗎？

只有真正經過極端痛苦的人才能理解極端惡的罪行，只有他們才有資格講寬恕，或不寬恕！伊娃沒有錯，真正的寬恕來自她個人，第三者不能代替她寬恕或不寬恕。因為格勒寧公開說：「毫無疑問我是道德上有罪，我祈求寬恕，至於我是否刑法上負責任，你們決定吧。」所以伊娃作為受害人可以接受這請求而寬恕他。這正是德希達所言，寬恕不可能寬恕的罪行，是真正意義的寬恕。

至於我們？我們需要等待，不知道等待到何時，可能在我有生之年也看不到。但不要放棄，繼續爭取我們應該有的人權、民主、自由。上世紀無論發生了多少次暴政極權鎮壓，最後真相仍然會呈現在世界上的。強權是會倒下的。到時候我們才談和解、忘記或寬恕。

後話：

「存在危機」寫了十篇，應該要完結了，文章寫得太長，可

能令讀者沒心情看下去。但現今在香港能夠自由寫文章刊出在沒審查的媒體上，已經是不容易的事情。故珍惜這點剩餘下來的思想和出版自由，多些寫出自己的真實想法。

2020年11月5日

參考資料：

Charles Griswold, *Forgiveness: A Philosophical Exploration*, Cambridge: Cambridge University Press, 2007.

PART

4

———

自由與法治

[1] 我們還可以做什麼？
斯賓諾莎和潘霍華對我們的啓示

面對趕盡殺絕的政治逼害，我們還可以做什麼？所有一切極憤怒、悲哀的心情，不敢也不能表達出來，只能放在心裡。哀莫大於心死，但我們仍然站起來，因為我們的心沒有死。

我們相信理性、公義、自由、法治，可惜這些普世價值並不是理所當然。歷史上有無數殘酷無情打壓的事件，不過儘管有無數人被打敗了，噤聲、監禁、虐待、甚至殺害，但仍然有人不放棄，敢於發聲對抗強權。我想借哲學家斯賓諾莎（Benedict de Spinoza, 1632-1677）和神學家潘霍華（Dietrich Bonhoeffer, 1906-1945）的言論來談論當前情況。

I

斯賓諾莎英年早逝，《倫理學》固然是西方哲學史中極重要的著作，但他生前匿名著作《神學政治論》（*Tractatus-Theologico-Politicus*, 1670），對後來的美國獨立宣言和法國大革命、對現代自由民主和俗世化思想影響深遠。他被猶太教會驅逐出教，因為他反對聖經，批評神權和政權，宣揚思想自由。我節錄他書中最後一章（第二十章），看看 350 年前的斯賓諾莎如何說：

《神學政治論》第二十章

（根據 Benedict de Spinoza, *Theological-Political Treatise*, ed. Jonathan Israel, trans. Michael Silverthorne & Jonathan Israel, Cambridge: Cambridge University Press, 2007, pp. 250-257, 節譯）

在一個自由的國家裡，每個人都被允許想他們所想，說他們所想。

如果控制人民的思想一如約束他們的舌頭這樣容易，每個君主都可安穩地統治，就不會有壓制性的政府。因為所有人都會按照管理他們的人的思想來生活，並且只根據統治者的命令來判斷什麼是真什麼是假，什麼是好什麼是壞。……一個人的思想不可能絕對受另一個人的控制。因為沒有人可以把他自由思考和對任何事情做出自己判斷的自然權利、或能力轉移給另一個人，也不能強迫他這樣做。這就是為什麼一個試圖控制人民思想的政府被認為是壓制性的，當任何君主試圖告訴人民什麼是他們必須接受的真，什麼是他們必須拒絕的假，什麼信仰應該激發他們對上帝的奉獻時，它便傷害了它的臣民，侵佔了他們的權利。因為這些東西屬於每個人民自己的權利，即使他想放棄，也不能放棄。

……

因此，無論人民如何相信君主對所有事物都有的權利，並且是正確和虔誠的解釋者，君主永遠無法確保人民不會用自

己的頭腦來判斷任何事情，或不會受到這種或那種激情的影響。的確，根據自然權利，君主可以把那些在所有事情上不完全像他們那樣思考的人民視為敵人，但我們已經從關於權利的爭論中走出來，現在正在討論什麼是有意義的。因此，雖然承認君主可以根據自然權利在治理中使用高度的暴力，並為最微不足道的原因逮捕公民或清算他們，但每個人都會同意，這不符合健全理性的標準。事實上，統治者不可能在不給整個政府帶來巨大風險的情況下做這樣的事情，因此我們也可以否認他們有絕對的權力來做這些和類似的事情，並依次否認他們擁有做這些事情的完全權利。因為我們已經證明，君主的權利應該受到其權力的限制。

沒有人可以放棄他們的判斷和思考的自由，每個人，根據自然界的最高權利，仍然是他們自己思想的主人。由此可見，一個國家如果試圖強迫人們按照君主的命令說話，是不可能取得很大成功的，因為人民的意見是如此多樣，如此矛盾。因為即使是最精湛的政治家，更不用說普通人，也不具備沉默的天賦。人民普遍的缺點是把自己的想法傳達給別人，不管他們[有時]應該如何保持沉默。因此，一個剝奪每個人說話和交流思想的自由的政府將是一個非常暴力的政府，而一個讓每個人都有這種自由的國家將是溫和的。

從我上面解釋的國家的基本原則中可以非常清楚地看出，國家的最終目的不是通過恐懼來支配或控制人們，也不是讓他們服從另一個人的權威。相反，它的目的是使每個人免於

恐懼，以便他們可以盡可能地生活在安全之中。安全，也就是說，他們可以在盡可能高的程度上保留其生活和行動的自然權利，不對自己或他人造成傷害。我認為，國家的目的不是要把人民從理性的人變成野獸或傀儡，而是要讓他們的身心以自己的方式安全地發展，享受對理性的自由使用，而不是參與基於仇恨、憤怒或欺騙的衝突或相互間的惡意糾紛。因此，國家的真正目的實際上是自由。

……試圖用法律來控制一切會鼓勵惡習而不是糾正惡習。不能完全防止或廢除的事情應該可以被允許存在，儘管它們往往是有害的。奢侈、嫉妒、貪婪、醉酒等等，產生了多少罪惡！然而，這些都是被容忍的，因為它們不能被法律的權威所消除，儘管它們確實是惡行。判斷的自由更應該被允許，這毫無疑問是一種美德，不能被壓制。……應該進一步補充說，這種自由對於藝術和科學的發展是絕對必要的；因為只有那些擁有自由和不受約束的判斷力的人，才能成功地培養藝術和科學。

……但是，讓我們假設，這種自由可以被壓制，人民可以被控制到除了國家要求他們說的話之外，他們什麼都不敢說。他們只思想當局想要的東西，這樣的話，必然會出現以下情況，這將破壞信任，而信任是國家的第一要素。這將破壞作為國家第一要素的信任；可惡的謊言和欺騙將滋生，引起陰謀並破壞各種誠實的行為。因為在現實中，要讓每個人都按劇本說話是不可能的。相反，國家越是努力剝奪人民的

言論自由，人民就越是頑強地反抗。我指的不是那些貪婪、媚俗、沒有道德品質的人，他們最大的安慰就是想著銀行裡的錢，填飽自己的肥肚子，而是那些有良好教養、有道德操守、有美德的人，因為良好教養、道德操守、美德使得人民更加自由。

……與其發布無用的法令，以至於不能容忍有自由思想的人，不如抑制群眾的憤怒和不滿，這將是多麼好的事情。使國家變得如此狹隘，以至於後來不能容忍思想自由的人。對於任何一個國家來說，還有什麼比讓誠實的人像逃犯一樣被放逐，因為他們的想法與其他人不同，而且不知道如何掩飾這一點更糟糕的呢？我認為，還有什麼比人民被當作敵人並被引向死亡更危險的呢，這並不是因為人民犯了錯或做了錯，而是因為他們自由地使用了他們的智慧，而本應只讓犯錯者感到恐懼的絞刑架卻變成了一個神奇的舞台，在上面向所有人展示了理性和美德的最高典範，同時對君主進行最嚴厲的指責？那些知道自己是誠實的人，不會像做錯事的人那樣懼怕死亡，並懇求逃脫懲罰。他們的思想不會因為對正直行為的悔恨而受到折磨。相反，他們認為為正義而死不是一種懲罰，而是一種榮譽：他們認為為自由而死是光榮的。這是一個多麼好的榜樣啊！

那麼，為了讓人們重視誠信而不是敵意，為了讓君主保持充分的權威而不是被迫向叛亂投降，必然要允許判斷的自由，必須以這樣一種方式來治理人們，使他們能夠和諧地生

活，即使他們公開持有不同的和相互矛盾的意見。我們不懷疑這是最好的統治方式，而且缺點最少，因為它是最符合人性的方式。在一個民主國家（這是最接近自然狀態的國家），所有的人都同意，正如我們上面所顯示的，根據共同的決定來行動，但不是來判斷或思考。也就是說，由於人們不可能都有相同的意見，他們同意獲得最多選票的觀點應獲得決定的效力，並始終保留在他們找到更好的辦法時回顧其決定的權利。人們獲得的判斷自由越少，就越遠離最自然的狀態，因此，政權的壓迫性就越大。

II

斯賓諾莎死後 250 年的潘霍華，也是英年逝去。在野蠻不道德的時代，一個有道德的人該怎麼做？這個問題困擾著潘霍華，他是一位積極反對希特勒和納粹的德國傑出神職人員。他的信念讓他付出了生命的代價。納粹在 1945 年 4 月 9 日將他絞死，距離戰爭結束不到一個月。潘霍華的英勇反抗展現在廣大觀眾面前，這位德高望重的路德教派牧師本可以保住自己的安寧，多次可以挽救自己的生命，卻為自己的信仰付出了最終的代價。

《十年之後》（*After Ten Years*）是本小書，潘霍華寫於 1943 年被拘捕入獄之前，是納粹 1933 年上場十年後他對當時德國的情況的評論。我節錄其中重要章節。（根據英文版翻譯）

腳下無地

　　歷史上有沒有像我們這樣的人，在他們的時代，腳下的土地如此之少，對他們來說，當時向他們開放的每一種可能的選擇都顯得同樣難以忍受、毫無意義，而且與生活背道而馳？有沒有像我們這樣的人，在所有這些可供選擇的方案之外尋找他們力量的源泉？他們是否完全是在已經逝去的東西和尚未到來的東西中尋找？然而，他們並不是夢想家，他們是否平靜而自信地等待著自己努力的成功結果？或者說，面對一個偉大的歷史轉折點，另一代負責任的思想家們是否有過與我們今天不同的感受——正是因為有一些真正的新事物正在形成，而這些新事物在現有的替代方案中還不明顯？誰站立得穩？

　　邪惡的巨大偽裝讓所有的倫理概念都陷入了混亂。邪惡竟然以光明、善行、歷史的必然、社會的正義的形式出現，這對於來自我們所接受的倫理觀念世界的人來說，絕對是令人困惑的。對於以《聖經》為生命的基督徒來說，這恰恰證實了對惡的深惡痛絕。

　　「有理的人」——那些懷著最好的願望，在對現實的天真誤讀中，以為只要有點理智就能修補出一個聯合起來的結構的人，他們的失敗是顯而易見的。他們的見識能力受損，就想為各方討回公道，結果卻被碰撞的力量壓得一點成績都沒有。他們對這個世界如此不講理感到失望，他們看到自己被

判為無產階級，他們不甘心地退出，或者無奈地成為強者的犧牲品。

更具破壞性的是一切道德狂熱主義的失敗。狂熱者認為，他可以用一種原則的純潔性來迎接邪惡的力量。但就像競技場上的公牛一樣，牠攻擊的是紅披風而不是背負紅披風的人，牠感到疲憊，並遭受失敗。他陷入了非必要的事情中，陷入了聰明人的陷阱。

有良知的人，在抵禦要求做出決定的困境的上級威力時，除了他自己，別無他人。但是，在他必須做出選擇的衝突的層面上，除了他自己的良心之外，沒有任何東西可以諮詢和支持，他被撕裂了。邪惡接近他的無數可敬和誘人的偽裝，使他的良心感到恐懼和不確定，直到他最終為一個被救贖的良心而不是一個好的良心做了決定，也就是說，直到他為了不絕望而欺騙自己的良心。一個壞良心可能比一個被欺騙的良心更強大、更健康，這是一個以良心為唯一支撐的人永遠無法理解的。

可靠的責任之路似乎提供了擺脫茫茫多的可能決定的途徑。在這裡，被命令的東西被視為最確定的東西；對被命令的東西的責任在於發出命令的人，而不是執行命令的人。然而，責任是如此的周密，以至於從來沒有任何餘地去冒險、去做完全由自己負責的事情，也就是只有這種行動才能擊中邪惡的核心，才能戰勝它。有責任感的人最終也要對魔鬼盡責。有一個人，他決定以自己的自由行動來向世界表明立

場。他把必要的行動看得比沒有玷汙的良心和名譽更重要。他準備犧牲貧瘠的原則來換取富有成效的妥協，或者犧牲貧瘠的平庸智慧來換取富有成效的激進主義。這樣的人需要注意，他的自由不會使他跌倒。他會為了防止更壞的事情而縱容壞的事情，這樣做的時候，就不再辨別他所要避免的更壞的事情很可能是更好的事情。這就是悲劇的基本材料所在。

在逃避公眾討論和審查的過程中，這個人或那個人很可能獲得私德的庇護。但他必須對周圍的不公正現象閉上眼睛和嘴巴。他只有自欺欺人，才能不被負責任的行動的後果所玷汙。在他所做的一切事情中，那他沒有做的事情將使他不得安寧。他要麼會因那不安而滅亡，要麼會變成所有法利賽人中最虛偽的人。

誰站得穩呢？只有一個人，他的最終標準不是他的理智、原則、良心、自由或美德；只有一個人，當他因著信心，在與上帝的關係中，他被呼召採取順從和負責任的行動時，他準備犧牲這一切。這樣的人就是負責任的人，他的生命不過是對神的問題和呼召的回應。這些負責任的人在哪裡呢？

公民勇氣

哀嘆缺乏民間勇氣的背後，到底隱藏著什麼？這些年來，我們遇到了很多勇敢和自我犧牲的人，但文明勇氣幾乎無處不在，甚至在我們自己中間。只有一種完全天真的心理，才會把這種缺失簡單地歸結為個人的懦弱。背後的原因則完

全不同。在漫長的歷史過程中，我們德國人不得不學習服從的必要性及其力量。我們看到了我們生命的意義和偉大之處，就是把一切個人的願望和思想都服從於後來屬於我們的委託。我們的目光向上，不是奴性的恐懼，而是在自由的信任中，看到了委託中的事業和事業中的使命。願意聽從來自「上面」的命令，而不是自己的自由裁量，這源於對自己內心的正當懷疑，也是這種懷疑的一部分。誰會質疑，在服從、委派和事業中，德國人一次又一次地完成了勇敢和生命承諾的極致？

　　但他保障了自己的自由──從路德到唯心主義哲學，世界上還有什麼地方比德國更熱衷於談論自由呢？──他力圖使自己擺脫自我意志的束縛，以便為整體服務：事業和自由對他來說是同一事物的兩面。然而，在這樣做的時候，他對世界的判斷是錯誤的；他沒有考慮到，願意服從和委身於自己的生命可能會被濫用於為邪惡服務。當這種誤用發生時，職業的行使本身就成了問題，德國人的所有基本道德觀念都受到了動搖。很明顯，德國人仍然缺乏一種決定性的基本觀念：那就是需要自由的、負責任的行為，甚至反對事業和委託。取而代之的，一方面是不負責任地缺乏顧慮，另一方面是永遠不會導致行動的自我折磨的顧慮。但是，公民的勇氣只能從自由人的自由責任中生長出來。直到今天，德國人才開始發現自由責任的含義。它是建立在上帝的基礎上的，他呼籲人們自由地冒險採取負責任的行動，並承諾寬恕和安慰

因這種行動而成為罪人的人。

關於愚蠢

……仔細觀察就會發現，公共領域的每一次強勢崛起，無論是政治性的還是宗教性的，都會使人類的大部分人受到愚昧的感染。甚至看來，這實際上是一種社會學－心理學規律。一方的力量需要另一方的愚蠢。在這裡，起作用的過程並不是人類的特定能力，例如智力，突然萎縮或失效。相反，在不斷上升的權力的壓倒性衝擊下，人類似乎被剝奪了內在的獨立性，並或多或少地自覺放棄了對新出現的環境建立自主的立場。愚蠢的人往往是固執的，但這不能蒙蔽我們的眼睛。在與他的交談中，人們實際上感覺到，自己根本不是在與他這個人打交道，而是在與已經佔有他的口號、口訣等打交道。他被施了咒語，被蒙蔽了雙眼，被誤用了，被濫用了他的本體。這樣成為無心的工具後，愚蠢的人也會有能力做任何惡事，同時也無法看到它是惡事。潛伏著惡毒濫用的危險，因為它可以一勞永逸地毀滅人類。

後話

歷史中的思想家談論自由民主有什麼意義？當然，他們不是革命家，將政權改變下來。知識分子永遠是無權的公民，沒槍沒刀，但筆便是利劍！自由不是在課堂或研討會上談論，是實踐於生活中。斯賓諾莎和潘霍華同樣是將信念訴諸於文字，儘管現實

上他們被逼害。他們和歷史上無數不願意屈服於強權的知識分子一樣，因為他們肯定真相，強調理性，願意承擔，站起來對抗不公義！

讀他們的書，使我們知道我們是不孤獨的，我們是和古往今來熱愛自由民主的思想家連結在一起的。

2021年3月4日

［2］依法統治：孟德斯鳩的法治精神

「最嚴重的暴行莫過於在法律保護下以正義的名義實施的暴行。」（孟德斯鳩）

我不是讀法律的，也沒有好好的讀政治哲學。但我們當前面對的問題就是法律和政治的問題。我們如何得知當權者堅稱「真理」在他們手中，一切執法、審判都是根據「法律」執行的？當我們相信的法治傳統和價值慢慢在面前消失時，我們如何能夠重新確定以前的信念還有意義？

1633 年伽利略因為堅信哥白尼的日心說到羅馬教廷受審，被視為異端受到強烈譴責，最後被逐出教會，終生流放。他的著作當然是禁書。傳說他知道判決後，輕聲說道：「你可以將我的書燒毀，不准我發聲，不准和任何人交談，但你不能阻止我仰望天空！因為『它』是移動的。」350 年之後，教宗若望保祿二世最後承認教廷是錯的，伽利略是對的。宇宙不會因為宗教權威而令地球不動！極權獨裁不能將真理消滅。

和斯賓諾莎一樣，孟德斯鳩（Montesquieu, 1689-1755）的《論法的精神》（*Spirit of Laws*, 1748）是禁書，為當時統治者不容，也是匿名出版。但此書影響深遠。美國獨立宣言背後的理論：三權分立、

憲法制度、民主自由都是從他的思想衍生出來的。17世紀是西方最重要的年代，科學革命和政治思想改變了西方和人類共同的命運。牛頓、洛克、笛卡兒、霍布斯、斯賓諾莎、萊布尼茲等等是這時代的重要思想家。科學真理、人權、平等、自由、民主、法治、憲法、三權分立都是從這個年代開展出來。孟德斯鳩承繼了上世紀的思想脈絡，開啟了18世紀的啟蒙運動，直接影響了的1776年美國獨立，1789年法國大革命。

《論法的精神》全書有三十一章，四百多頁。我節錄此書第十一和第十二章原文給大家參考。這兩三千多字的節錄絕對不能充分交待孟德斯鳩的思想，只希望透過這幾段文字讓大家對他有第一印象。（當然對政治哲學有認識的朋友，孟德斯鳩是常識了。）

以下根據 Charles de Secondat Baron de Montesquieu, *The Spirit of the Laws*, 1748, trans. Thomas Nugent, 1752. Kitchener: Batoche Books, 2001 年版 Book XI & XII，作者翻譯節錄。

第十一章　建立政治自由的法律與政體的關係

沒有什麼詞比自由這個詞有更多不同的含義，也沒有什麼詞比自由這個詞在人類思想中產生更多不同的印象。有些人把它當作罷免他們賦予暴政的人的手段；有些人把它當作選擇他們必須服從的上司的權力；有些人把它當作攜帶武器的權利，並因此能夠使用暴力；有些人則把它當作由他們自己國家的人或自己的法律管理的特權。有些人把這個名字附在

一種政府形式上，而不是附在其他形式上：那些喜歡共和制的人把它用於這種政體；那些喜歡君主制國家的人把它用於君主制。因此，他們都把自由的名稱應用於最適合他們自己的習俗和傾向的政府：由於在共和制中，公民對他們的痛苦的原因沒有那麼恆定和現成的看法，由於行政長官似乎只按照法律行事，因此一般都說自由存在於共和制中，而被君主制所驅逐。總之，由於在民主政體中，人民似乎幾乎可以隨心所欲地行事，這種政府被認為是最自由的，而公民的權力與他們的自由被混為一談。

誠然，在民主國家，公民似乎可以隨心所欲地行事；但政治自由並不包括無限的自由。在政府中，也就是在由法律指導的社會中，自由只包括做我們應該做的事的權力，以及不受約束地做我們不應該做的事的權力。

我們必須不斷地提出獨立和自由之間的區別。自由是一種做法律允許的事情的權利，如果一個公民可以做法律禁止的事情，他就不再擁有自由，因為他的所有同胞都有同樣的權力。

⋯⋯

臣民的政治自由是由於每個人對自己的安全有看法而產生的一種心靈的寧靜。為了獲得這種自由，政府的組成必須是一個人不需要害怕另一個人。

當立法權和行政權集中在同一個人身上，或集中在同一個行政機構中時，就不可能有自由；因為人們可能會擔心，同

一個君主或參議院會制定暴虐的法律，並以暴虐的方式執行這些法律。

同樣，如果司法權不與立法權和行政權分開，就不會有自由。如果它與立法權結合在一起，臣民的生命和自由就會受到任意的控制；因為法官就會成為立法者。如果它與行政權結合在一起，法官可能會以暴力和壓迫的方式行事。

⋯⋯

如果立法機構讓行政權力擁有監禁那些能夠為自己的良好行為提供擔保的臣民的權利，那麼自由就結束了；除非他們被抓起來，以便毫不遲疑地對一項死罪負責，在這種情況下，他們就真的自由了，只受法律權力的約束。

但是，如果立法機構認為自己因某些針對國家的祕密陰謀或與外國敵人的通信而處於危險之中，它可以授權行政權力在短期和有限的時間內監禁嫌疑人，在這種情況下，他們只是暫時失去自由，但卻永遠保持自由。

⋯⋯

如果行政權沒有權利限制立法機構的侵犯，那麼立法機構就會變得專制；因為它可以把它喜歡的權力據為己有，很快就會摧毀所有其他權力。但另一方面，立法機構有權阻止行政機構，這也是不合適的。因為執行有其自然的限度，限制它是沒有用的；此外，行政權通常是在瞬間的行動中使用。

⋯⋯

這就是我們所討論的政府的基本結構。立法機構由兩部分

組成而相互制約。它們都受到行政權力的制約，正如行政權力受到立法權力的制約。

這三種權力自然應該形成一種靜止或無為的狀態。但由於在人類事務的進程中，有運作的必要性，它們被迫運作，但仍是一致的。

……

我很樂意反思這三種權力在我們所熟悉的所有溫和政府中的分配情況，以便計算出每個人可能享有的自由程度。但我們不能總是窮盡一個主題，以至於沒有給讀者留下任何工作。我的責任不是讓人們閱讀，而是讓他們思考。

第十二章　政治自由的法律及其與公民的關係

僅僅處理了與憲法有關的政治自由是不夠的；我們還必須在它與公民的關係中審查。我們已經注意到，在前一種情況下，它產生於三種權力的某種分配；但在後一種情況下，我們必須從另一個角度考慮它。它包括人身安全，或者說包括公民對其自身安全的看法。

憲法可能碰巧是自由的，而公民則不是。公民可能是自由的，而不是憲法。在這些情況下，憲法會因權利而自由，而不是在事實上自由；公民將因事實而自由，而不是因權利而自由。

只有法律的處置，甚至是基本法律的處置，才構成與憲法有關的自由。但是，就公民而言：禮儀、習俗或公認的範例

可能會引起自由，而特定的民法可能會鼓勵自由。

……

哲學上的自由包括意志的自由行使；或者至少，如果我們必須對所有的體系都表示贊同的話，包括可以自由行使我們的意志。政治自由包括安全，或者至少包括我們享有安全的觀點。

……

沒有什麼比宣布人們因輕率的言論而犯叛國罪更為武斷的了。言論是容易被解釋；輕率和惡意之間有如此大的區別；而後者在表達自由中往往很少，因此法律很難因言語而對公民處以死刑，除非它明確宣布這些言語是什麼。

話語並不構成公開的行為；它們只停留在觀念上。就其本身而言，它們通常沒有確定的含義；因為這取決於說這些話時的語氣。經常發生的情況是，在重複同樣的話時，它們的意義並不相同；這取決於它們與其他事物的聯繫，有時沉默比任何表達都更有意義。既然沒有什麼東西能像這一切一樣含糊不清，模稜兩可，那麼怎麼可能把它變成叛國罪呢？無論在哪裡建立這種法律，不僅是自由，甚至是自由的影子都會結束。

後記

我在上一篇談斯賓諾莎時發問，我們還能做什麼？

潛龍勿用。不送頭，不做幫兇。現在是練內功的時候：多讀

書，多反省，培養獨立自主思考，不盲從，分辨真假新聞，等待自由的一天到來。正如伽利略所言，天空是開放的，學術宇宙是公開的。我們可以不准做「違法」的事情，不准公開表達我們的思想和感情，但沒有人可以消滅我們心中的自由，沒有人可以禁止我們進入中西古往今來仁人智者的世界。他們的著作向我們開放，等待我們進入。這樣我們便可以思想武裝自己，有自信地做自己應該的事情。

　　認真研讀這些偉大思想家的原典，同時放在文化歷史的脈絡中理解，我們有理由是樂觀的，因為人類是有進步的。這些重要的普世價值不會被強權打壓而消逝的，因為他們已是我們思想生命的一部分。

2021年3月6日
2022年6月2日新譯孟德斯鳩引文

［3］ 我們是自由的：
沙特的〈沉默的共和國〉

　　我們這批香港自由民主的理想主義者，從上世紀80年代開始追尋的自由夢，四十多年來奮鬥的民主夢，最後都要醒過來了！南柯一夢。小說的預言比歷史的事實更有意義。因為，正如亞里斯多德所言，詩比歷史更有哲學價值，因為前者是將來可能出現的事情，後者是過去發生的事實。

　　歐威爾《一九八四》最後一段不是我們現在的寫照？

> 　　他抬頭看著那張龐大的臉。他花了四十年的工夫才知道那黑色的大鬍子後面的笑容是什麼樣的笑容。哦，殘酷的、沒有必要的誤會！哦，背離慈愛胸懷的頑固不化的流亡者！他鼻樑兩側流下了帶著酒氣的淚。但是沒有事，一切都很好，鬥爭已經結束了。他戰勝了自己。他熱愛老大哥。
>
> 　　（董樂山譯，上海譯文出版社，1997年，頁271。）

　　是的，「真理部」已經成立了。我們以往受教育相信的一切都要重新檢視：真理、邏輯、善惡、美醜、是非等等，現在是全由統治階級強權確定，除非欽點，二加二等於四或五，我們無從

確定。「仁愛部」也建立起來，「愛」是偉大概念，如何去愛需要指示教育，不懂得「愛」是什麼，便不能服務人民與社會。

但是，我們真的完全被消滅嗎？天空真的可以隻手遮蓋嗎？公民和政治自由可以強權扼殺，異見和反對聲音可以全面打壓，民主派人士全部「依法」判罪入獄，但是，人的主體自由真的可以取消嗎？依伽利略說，天空仍然是開放給我們的，我們仍然可以自由地思索。在暴政強權下如何理解自由的意義是我們要急切思索的問題。

1939年9月1日，德國入侵波蘭。兩天後，英國和法國對德國宣戰；第二次世界大戰正式開始。第二年，納粹佔領了巴黎。在1944年12月的《大西洋》雜誌上，法國哲學家、劇作家和小說家沙特寫了這篇文章〈沉默的共和國〉,向那些反抗佔領的英雄和不願意投降的普通人致敬。太平盛世的時候，我們可以自由地說話和寫作，但沙特聲稱，法國人，特別是法國作家和藝術家，在納粹佔領下只有兩個選擇：合作或抵抗。他自然選擇了後者。「我們的工作是告訴所有法國人，我們不會被德國人統治。」

沙特可能比歐威爾樂觀一點，因為他相信人在極權統治下仍然可以有尊嚴的生活下去，仍然可以選擇本己的存活（authentic existence）。正是因為我們面對極權專制打壓，我們才能更真實的理解我們的存在危機。我將整篇文章翻譯給大家參考。

〈活著的巴黎：沉默的共和國〉

（根據 "Paris Alive: The Republic of Silence", *The Atlantic Monthly*, 1944 年 12 月英文版，作者翻譯。）

　　我們從來沒有像在德國佔領期間那樣自由。我們失去了所有的權利，首先是說話的權利。我們每天都受到當面的侮辱，不得不默默承受。在這樣或那樣的藉口下，作為工人、猶太人、或政治犯，我們被驅逐出境，在廣告牌上、在報紙上、在螢幕上，我們看到了壓迫者希望我們接受的令人反感和無趣的影像。正因為如此，我們獲得了自由。雖然納粹的毒液甚至滲入了我們的思想，但每一個正確的思想都是一種征服。因為一個強大的警察試圖強迫我們守住自己的舌頭，所以每一個字都具有原則宣言的價值。因為我們被追殺，所以我們的每一個表態都有了莊嚴承諾的重量。

　　環境雖然常常是殘暴的，但終於使我們有可能不假思索地過著被稱為人類命運的忙碌而不可能的生活。流放、囚禁，特別是死亡（在幸福的時代，我們通常根本不敢也不需要面對），對我們來說，成了我們習慣性關注的對象。我們了解到，它們既不是不可避免的意外，甚至也不是持續不斷的外部危險，而是必須被視為我們的命運本身，我們的命運，我們作為人的現實的深刻根源。每時每刻，我們都活出了這句司空見慣的全部意義：「人是會死的！」而我們每個人對自

身生命和存在所做的選擇都是一個真實的選擇，因為它是面對死亡所做的，因為它總是可以被表達出來「寧願一死，也不要……」在這裡，我說的不單是我們中間的菁英，他們是真正的抵抗者，而同時所有的法國人，在整個四年中，每時每刻都在回答「不」！

但是，敵人的殘酷使我們走到了這種狀況的極端，迫使我們問自己一些在和平時期從未考慮過的問題。我們中間所有的人（在這種情況下，哪個法國人不是曾經了解過有關抵抗運動的任何細節的人？）都焦急地問自己：「如果他們對我施以酷刑，我能堅持下去嗎？」於是，自由本身的基本問題被提出來了，我們被帶到了人對自己最深刻的認識的邊緣。因為一個人的祕密不是他的伊底帕斯情結，也不是他的自卑情結：而是他自身自由的極限，是他抵抗酷刑和死亡的能力。

對那些從事地下活動的人來說，他們的鬥爭條件提供了一種新的經驗。他們不像士兵那樣公開戰鬥。在任何情況下，他們都是孤獨的。他們在孤獨中被追殺，在孤獨中被逮捕。他們完全是孤苦伶仃地堅持著反對酷刑，獨自一人赤身露體地面對著施刑者。這些施暴者鬍子乾淨，吃得飽飽的，穿得好好的，他們嘲笑著抗爭者畏縮不前的肉體，在他們（參原文應指施暴者）看來，滿足於現狀的良心和無限的社會權力，使他們看起來完全是正確的。抗爭者獨自一人。沒有一雙友好的手，也沒有一句鼓勵的話語。然而，在他們孤獨的深處，他們所保護的是其他人，是他們所有的抗戰同志。

在完全的孤獨中承擔全部責任——這不正是我們自由的定義嗎？這種被剝奪一切，這種孤獨，這種巨大的危險，對所有人都是一樣的。對於那些領導人和他們的部下，對於那些傳達信息而不知道其內容的人，對於那些指揮整個抵抗運動的人，懲罰都是一樣的——監禁、驅逐出境、死亡。世界上沒有一支軍隊，私人和統帥的風險是如此平等的。這也是為什麼抗爭是真正的民主：對士兵和對統帥來說，同樣的危險，同樣的放棄，同樣的全部責任，同樣的紀律內的絕對自由。

因此，在黑暗和鮮血中，一個共和國建立了，最強大的共和國。它的每一個公民都知道，他對所有人都負有責任，他只能依靠自己一個人。他們每一個人，都在完全孤立的情況下，履行著自己的責任，履行著自己在歷史中的角色。他們每個人都站在反對壓迫者的立場上，承諾做自己，自由地、不可改變地做自己。而他在自由中為自己選擇了自由，也就選擇了所有人的自由。這個沒有機構、沒有軍隊、沒有警察的共和國，是每個法國人時時刻刻都必須贏得和確認的反對納粹主義的東西。沒有人辜負了這一職責，現在我們正處在另一個共和國的門檻上。願這個在光天化日之下建立的共和國，能保持那個沉默和黑夜共和國的嚴肅美德。

沙特這篇文章寫於1944年12月，距離第二次大戰全面結束還有大半年。巴黎人已經被強暴打壓超過四年了！無數人被迫害，公民自由全面封殺，但正是如此，仍然有無數人站起來，用

不同的方式抗爭，因為不願意做奴隸，不願意做幫兇！自由仍然顯露人性的光輝。

歐威爾《一九八四》的預言和分析儘管有啓發性和真確性，但仍留有一線希望。歐威爾正是運用他的自由去反省強權的意義，而創作出這本重要的警世小説。也正是他的小説道出極度悲觀的判斷，我們才可以不懷僥倖之心去對抗似乎不可能克服的暴政。

看看四十七位參加初選、相信民主自由法治的朋友，和無數公開或不公開支持這些理念的市民，便知道沙特這篇文章的意義。

2021 年 3 月 14 日

［附錄］低俗共和國

大埔山人

　　張生為我們盜來了希望，沙特的沉默共和國，沸騰的沉默共和國，在我們能力之內，原諒我作為學生必須故唱反調，我在大半個城見到的卻是另一個沉默共和國，那個沉默的喧鬧共和國，那個全能的贗品。

　　為何要深思低俗的本質？因為低俗是冒牌的沉默共和國的立國基石和發展動力。人不怕死亡，因為生的意義由死彰顯，不怕恐懼，因為最大的恐懼莫過於死，也不怕懦弱，因為知懦弱就離克服恐懼不遠，有此三不怕，可願真正的沉默共和國來臨。

　　低俗會將此三不怕化零。懦弱變成求生，不問理由也不問過程，單純的求生只屬於物理層，觀物理層中人，其需要必須滿足而其恐懼永不能克服，恐懼源於不能再滿足其欲望之可能存在，機會越大越恐懼，恐懼至終極正是死亡，由於久入低俗之肆，越頌揚越擁抱生活，越盡情活出如此生活，死亡本身只能越滾越大，大到無可克服，何以及如何死亡則在快速公路兩岸隨速度縮小，至於消失。

　　死亡本身不會導致真正的沉默，何以及如何是一種沉默的巨響，但無理由過程的死亡，即赤裸裸的死亡本身，則絕對沉默，

197

因為只是毫無內容的發生，如天陰會下雨、隕石會墜毀一樣。由於低俗的生活只是向物理層的欲望進發的單線發展，死亡亦只能是徹底及永遠摧毀這種發展的唯一事物，可從此推理出只要能控制死亡的準則和施予，那就可控制在其下的人，但其實這常聽的推理毫無意義，追求或活出低俗的生活的人，不關心其頭上對死亡的任何控制，就是最突然或無感的死亡帶來的恐怖也都一樣。

這種恐懼在追求或活出低俗的生活的人身上特別可怕。因為他們既絕對孤獨又不能接受孤獨，由於他們只為尋找和滿足欲望而存在，所有這些欲望都絕對指向自身，所以他們也只能絕對孤獨。本來由於人類生而向死，所有人都應是絕對孤獨的，但攀過物理層，有橫向與萬人萬物的共鳴和對過去未來的感應，在此人類的社群性得以發展滿足，與現在、過去和未來的同伴交流，同時發現與同伴的同質性和相對之獨特性，因而與孤獨和平共存。但若停在物理層中，孤獨就是唯一的感覺，人與人之間的紐帶在沉迷欲望之中不知不覺廢弛，最後斷了，成為沙數的社會原子，對社群的需求結果由同樣低俗的文宣中的力量和系統滿足。這是一種虛假的社群感，基於粒粒皆一樣的情況運行，如老饕龍友[1]之成團，喧鬧以刷存在感，言不及義，無所用心，同在同叫但如同死寂，由於孤獨從沒被理解和承認，如大隊波牛[2]甫散場就回復開踢前的孤獨，沒能建構不依賴物理聚會而存在的社群感，陷

---

[1] 素未謀面卻相約一起去拍攝模特兒的沙龍攝影師。
[2] 定期相約一起踢足球卻在足球場外老死不相往來的人。

入惡性循環，成為實在死寂的喧鬧社群。為了同時追逐個人欲望及延續社群感，任何能同時滿足兩者的機會他們都會參與，美食團和批鬥組都可以，前者是片段式而後者可一直延續至永遠，可持續在進行其活動時產生社群感及積極參與感，不需改變整個低俗的人生觀已可逃避孤獨。為讓恐懼以致死亡徹底消失，社餘時間只能更沉迷於物理層的欲望，至於是美食團還是批鬥組是誰帶領，實無礙於這贋品的沉默共和國建成，只是反映出帶領者自己的心思。世界或會更好或更壞，贋品的沉默共和國的國民繼續在他們的時空一直延續他們的存在。

為何事已至此？共業我們均有自己的貢獻，不扯遠，就容忍膠劇[3]播放已等於製造環境栽培膠人，十日膠樹，十年膠人，幾十年低俗，百半年來家國，幾曾識干戈？我沒能提出什麼方法什麼希望，完文於正向只是不負責任，只剩下逢人叫聽巴哈清唱劇，若聽完一刻福至心靈，澄明了幾許，已是立地成佛之境界，遠較理性思辨有效，一曲既終，必有迴響。

2021 年 3 月 15-16 日

---

[3] 香港最大的電視台製作的大部分劇，荒謬龍套，會思考者不忍卒看，不思考者越看越迷失本真。

[4] 自由與責任：漢娜・鄂蘭論〈獨裁統治下的個人責任〉

I

盧梭《社會契約論》劈頭第一句：「人是生而自由的，但卻無處不在枷鎖之中。」

個體自由和政治自由的關係從來都是人類的大問題。伽利略當然可以以內在自由放眼天空，以自主的理性去思考整個宇宙問題。人類文化歷史中無數哲學家、思想家、出名的、或隱蔽的，都可以自由地思想。思想自由從來不是問題。但從思想自由衍生的言論，公布於世，與世人分享，即出現無數問題。哥白尼（Nicolaus Copernicus, 1473-1543）死前已經完成了「日心說」的理論，但不敢出版，因為他知道日心說肯定挑戰基督宗教的權威，他的理論必然被視為異端邪說。儘管日心說是從科學精神得出來的結果，但《聖經》的權威是不可能受挑戰。《天體運行論》（*Concerning the Revolution of the Heavenly Spheres*）是他死後才敢出版，但其對文化影響之深，由其書名字中本以「運行」（Revolution）而後來變成「革命」可見一斑。布魯諾（Giordano Bruno, 1548-1600）因公開讚揚和肯定哥白尼日心說而得罪了極權，他的「邪說」當然不能容於當權者心中，被判為異端以火燒死。其後伽利略再進一步確定哥白尼日心說的真理，但也被教庭審判為異端，焚書禁言，終生監禁，

不得超生！

為什麼哥白尼、布魯諾、伽利略這批自由思想的科學家，雖然自信真理在他們的理論中，但全部被強權打壓，落得悲慘收場？很簡單，極權專制統治下，真理是被強權決定的，這裡沒有什麼普世價值和真理，只有欽定真理！Might is right。這裡沒有言論和學術自由，因為沒有公民和政治自由，來保護從思想自由所衍生的言論。統一思想、指定價值、教育、新聞和法律應該為當權者服務。

但人類文明似乎不是如此發展的。從 1215 年英國大憲章（Magna Carta）到美國獨立革命、法國大革命，到二次大戰後聯合國的人權宣言、公民及政治人權公約等，都是人類文明進步的見證。獨裁霸權似乎應該是歷史遺跡。可惜事與願違，我們重回到專制年代。

極權統治下還能做什麼？人生之悲涼，生命朝不保夕，卑微的個人如何反抗？但莊子和斯多葛（Stoics）哲學家不是提出我們可以回歸個人的世界裡，確定主體自由，逍遙過活？世上苦難不可避免，強權不能對抗，接受命運吧！享受我們自己的內在自由生活，不是足夠嗎？

每個個體當然可以如此選擇自己的生活方式，只要在公共世界「遵守」法律，不犯法，照章行事。在自己的私人空間中過「自由」吧。

但是我們知道，英國大憲章到公民及政治人權公約，都不是從天而降下來的，是過去很多哲人智者的努力成果，他們知道真

正個體自由正是需要公民自由去保障，他們知道不能獨善其身，將人民苦難棄而不顧，言論是有價值的，世界是由思想改變的。他們絕大部分沒權沒勢、沒槍沒刀，只有以筆為劍，將思想轉化成言論文字對抗強權暴政。

漢娜・鄂蘭為逃避納粹迫害而流亡到美國，她不是一位在象牙塔內授課的哲學教授，而是上世紀最重要的政治理論家、公共知識分子。我在前面幾篇多次提及伽利略的天空，當然不單是指無垠的宇宙，更重要的是過去哲人智者的思想世界，這裡是我們現在認真學習的地方。

沙特在〈沉默的共和國〉肯定自由的價值是不逃避面對的危機，而是參與行動。強權下我們似乎是沉默，但每個人的自由和良知驅使我們重新更深入思考當前的惡劣環境，每個人只能做本分的事。希望透過學術思想世界，我們得到更多養分去支持我們的信念。

II

英國19世紀小說家喬治・艾略特（George Eliot，1819-1880）在她的長篇小說《米德爾馬契》（*Middlemarch*，1871）書末寫下這幾句：

「……因為世界上能夠成為善的事物，部分是取決於非歷史性的行為，你和我的生命才沒有變成災難：一半是由於有不少人，忠實地過著隱祕的生活（a hidden life），安息在無人參拜的墳墓裡。」

　　這句話重現於 2019 年美國導演泰倫斯・馬力克（Terrence Malick）的電影《隱祕的生活》（*A Hidden Life*）[4]最後畫面。馬力克，哲學科班、研究海德格思想出身，本為哲學教授，後轉為編劇和導演，拍了不少受業界和學術界讚賞的電影，這部電影更備受關注。馬力克不拍好萊塢式娛樂性的作品，他透過電影表現意念、思想、藝術氣魄和人文精神。我在這裡當然不是做影評，而是想以電影主角的遭遇來進入鄂蘭的主題。

　　電影根據真實歷史改編而成，故事其實很簡單。1938 年，德軍進駐奧地利。男主角法蘭茲・雅各史塔特（Franz Jägerstätter，1907-1943）本是在奧地利阿爾卑斯山區與世無爭的農夫，與妻女過著平淡幸福的生活。但他被徵召入伍，每個士兵都要宣誓效忠納粹黨和希特勒，但法蘭茲本著良知拒絕宣誓，他是天主教徒，相信上天賦予人類自由意志，依照自由意志過生活，遠離罪惡，不濫殺無辜，不能效忠納粹軍隊。因此被村民視為叛國，妻女被歧視，村長和律師朋友勸他識時務：效忠不過是舉手禮，唸幾句話，何必令自己太難堪，累及家人；連主教也請他顧大體妥協。但這位農夫固執己見，不願屈服，結果被監禁、虐待，最後被判刑，1943 年死刑離世。

　　法蘭茲值得這樣做嗎？當所有人都在強權下服從命令，當獨裁者要求每個人要宣誓效忠，一個普通沒有受過高等教育的農夫要抗拒這龐大的壓力，依靠什麼呢？他不是潘霍華，沒有哲學和

---

4 〔編按〕台灣譯為《隱藏的生活》。

神學支持，他只有一個簡單的信念：公義和真誠是最重要的，不能宣誓自己不能接受和相信的事情。這是人的主體自由意志，去確定人的內在價值，不受強權暴政打壓而屈服。這就是孟子所言捨生取義的意義。

當然法蘭茲是萬中無一的人。大部分人接受命運，與當權者妥協。1933 年希特勒上場時，絕大部分德國人宣誓效忠，無數菁英知識分子同樣表態，跟隨偉大領導走進人類歷史最悲慘殘暴的二次大戰中，直接或間接參與暴政所犯的極惡罪行裡。大戰結束後，要判斷在獨裁統治下，依照命令所犯惡行的人之責任，便成為一個嚴肅問題。

鄂蘭在《艾希曼在耶路撒冷》一書中提出「平庸惡」，已指出以服從上級命令所犯的罪行不是為個人脫罪和赦罪的理由。（我在〈第三部：存在危機〉的第七篇已談過這問題，此處不贅。）鄂蘭的理論引起猶太團體和知識分子全面攻擊批評。之後她寫了〈獨裁統治下的個人責任〉進一步解釋自己的立場。我認為這篇文章正可以讓我們理解法蘭茲的抗拒和無數其他人妥協的現象：在獨裁統治下，每一個人的責任問題。

此文收錄在 *Responsibility and Judgment*, New York: Schocken Books, 2003。以下譯文摘自《責任與判斷》，蔡佩君譯，左岸文化出版，2016 年。文章太長，我只節錄大概三分一篇幅給大家閱讀。

〈獨裁統治下的個人責任〉

我多少想當然爾地以為，我們都仍然像蘇格拉底一樣，相信寧受不義而不為惡。但這一廂情願的信念卻是錯誤一場。多數人深信，人無法抵擋任何形式的引誘，而且沒有一個人是可以信賴的，更別期待他在危機時刻還值得信賴，受引誘和受逼迫幾乎是一樣的，而瑪麗‧麥卡錫最先注意到這謬誤，套句她的話：「如果有人拿槍指著你，說『斃了你的朋友，不然我就斃了你！』他是在引誘你，就是這樣。」誘惑涉及你的生死存亡時，就可能是犯罪的合法藉口，不過當然不具道德正當性。最後，令人很驚訝的一點是，既然我們討論的是一樁審判，而審判的結果不外乎做出宣判，別人卻告訴我，下判斷一事本身是錯的：不在當場的人沒有資格評斷別人。順帶一提，艾希曼自己也是以此論點反駁法庭的宣判。當人家告訴他，當時他應該有其他選擇可以避開這項謀殺的任務，他卻堅稱，這些都是戰後編出來的怪談，都是後見之明，而且支持這說法的人並不知道，或者已經忘記，當時的實際狀況。

有若干原因說明了何以討論判斷的權利或能力，會觸及非常重要的道德議題。此處牽涉到兩件事：第一，如果大多數人或我周圍所有人都已對某議題預作判斷了，我如何能分判是非對錯？我何德何能可以另下判斷？其次，如果可能，我們在什麼程度上可以對以往的事件或我們不在場的事件下判

斷？關於後者，如果我們否定自己的這項能力，很顯然就不可能有任何歷史書寫或訴訟程序。或許可進一步主張，我們在運用判斷力時，很少不用到後見之明，這對寫史者和審判法官來說也一樣，他們或許有很好的理由不去相信證人的說詞或者在場者的判斷。此外，未在場而下判斷的問題通常伴隨著傲慢的指控，但誰又曾堅稱，宣判他人所作為惡，就等於預設自己不會犯同樣的惡行？即使宣判他人犯下謀殺之罪的法官也可能會說，若非上帝的恩典，犯罪的就會是我！

　　表面上看來，這些都像經過精心策劃的一派胡言，但當許多人，包括許多聰明人，在不是被操縱的狀況下開始胡言亂語，那麼牽涉到的問題就不只是胡言亂語了。吾人社會普遍存在一種恐懼，害怕臆斷人物是非，這和聖經裡「你們不要論斷人，免得你們被人論斷」沒有任何關係，又如果這種恐懼講的是「最先擲出石頭」，那便褻瀆了這句話。在不願意下判斷的背後，埋伏著一種疑慮，即沒有人是自由的因子，因而也懷疑有誰可對他自己所做的事情負責，或是可以期待他負責。道德的議題一旦被提出，即使只是附帶提及，那麼提出此問題的人，將面對可怕的自信之缺乏，因而也是自尊的欠缺，還用一種假裝的謙虛說，「我何德何能可以下判斷？」其實意思是說「我們都一樣，一樣壞，那些努力、或假裝努力，多少保持正經的人，不是聖人就是偽君子，而這兩種人都應該別來煩我們。」因此一旦有人指責特定的某人，強烈的抗議聲就出來了，說他們只會怪罪某個人，而不是將

所有行為或事件歸罪給歷史潮流和辯證的運動，也就是不去歸罪給某種在人類背後運作的神祕必然性，並將人類一切作為賦予某種更深刻的意義。只要將希特勒的所作所為追溯到柏拉圖、達菲奧雷（Gioacchino da Fiore）、黑格爾，或尼采，或者追溯到現代科學和科技，或虛無主義或法國革命，這樣問題就解決了。不過當有人指控希特勒是大屠殺者——當然，也承認這個大屠殺者很有政治天賦，而第三帝國的整個現象並不能只用希特勒何人也、他怎麼影響眾人為理由來解釋——就會出現一種共識，同意如此論斷一個人的作法是粗糙的，欠缺周詳考慮，不應該容許這種論斷干涉對歷史的詮釋。

……

再者，完全的宰制會伸展到生活的所有領域，而不只是政治生活。不同於極權政府，極權社會是整體一統的；所有公共宣言，文化的、藝術的，或學術的，以及所有組織，福利或社會服務的，即便是體育或娛樂，各方面都「協調」好了。從宣傳單位到司法機關，從戲劇表演到體育新聞，從中小學到大學和學術團體，所有具有公共意義的機關或職務，都要求無異議接受統治階級的原則。任何人若參與公共生活，不論是黨員或政權中菁英團體的成員，都多多少少會被包含到這政權整體的作為當中。

……

這裡我必須提醒諸位，個人責任或道德議題不同於法律責任，幾乎不會出現在那些衷心擁護政權的人身上：他們不

會覺得有罪，只覺得被擊敗，這幾乎是必然的，除非他們改變心意並悔悟。但是，即便這簡單的議題也變得混淆，因為當懲罰之日終於到來，結果卻沒有一個人自承他是衷心的擁護者，至少沒人支持他們因而受審的犯罪計畫。棘手之處在於，雖然這是謊言，卻不是一個簡單或全然的謊言。因為連第三帝國中都很少人衷心同意該政權最後的犯罪行為，卻有許多人非常願意去執行；這樣的（矛盾）心態一一開始發生在那些政治中立、不是納粹卻選擇與之合作的人身上，到了最後連納粹黨員，甚至黨衛軍的精銳也抱持了這樣的心態。而現在，他們不論立場如何，不論做過什麼，每個人都宣稱，那些以各種原因退隱到私人生活的人，是選擇了簡單、不負責任的出路。當然，除非他們利用這樣的私人身分從事掩護，進行積極的反對行動——但這個選擇實在不必認真考量，因為顯然不是人人都當得了聖人、英雄。但個人責任或道德責任就是人人都擔得起，而說起這一點，無論身處什麼狀況或有何後果，堅守崗位才是較為「負責」的作法。

在他們的道德說理中，「較小之惡」的論點扮演很醒目的角色。該論點如下：如果面對兩種惡，你的任務就是選擇較小的惡，如果完全拒絕選擇，那就是不負責任。駁斥這種論證、認為它有道德錯誤的人，會被指控為抱持一種抗菌的道德至上論，不食政治的人間煙火，不願意讓自己的手沾染一點灰塵；但必須承認，堅決排斥和任何較小之惡妥協的，比較不是政治或道德哲學（除了康德例外，他正是因為這個原

因，常常被指責是道德至上的嚴格主義者），而是宗教思想。在最近一次討論這些問題的場合中，有人告訴我，《塔木德經》主張：如果他們要求你為了全體的安全犧牲一個人，你不可屈服；如果他們要求交出一個女人來讓他們強暴，就可以拯救所有的女人，你不要讓她被強暴。同樣的，對梵蒂岡在二戰期間的政策依然記憶猶新的教皇約翰二十三世寫道，以「審慎」（practice of prudence）作為教皇和主教的政治行為準則：「不管如何，若與邪惡同桌宴飲，而希望因此可能對某人有所助益……這可千萬要小心。」

　　……

　　同樣地，「上級命令」的論證，或者法官的反駁——上級命令不能當作犯罪的藉口——都不充分。其預設在此也是：正常來說，命令不具犯罪性，也因為這個原因，收到命令的人應該能夠識別出某項命令的犯罪本質——比如神經錯亂的軍官下令射殺其他軍官，或虐待、殺害戰犯。從司法角度看，要抗拒的命令必須「明顯非法」；非法性「應該像黑旗一般飛舞，上面寫著『禁止』的警告字眼。」換言之，對必須決定要從命還是抗命的人來說，那命令必須清楚地標示出來，它是個例外。問題是，在極權政權中，特別是在希特勒政權最後幾年，禁止的標示清楚地指向非犯罪性的命令。艾希曼決定要當個守法的第三帝國公民，也一直如此，對他來說，希姆萊於1944年秋所下的命令——停止遣送人犯，拆除死亡工廠——上頭飄揚的才是明顯非法的黑色旗幟。我剛剛所

引的文句取自一個以色列軍事法庭的判決，以色列軍事法庭可能比世界上大多數法庭更了解，就希特勒德國那直接、而且可說是合法犯罪的本質而言，「合法」一字本身所隱含的難題。因此它超越一般的用語，像是一種「合法的感覺……深藏在每個人的意識，以及那些不熟悉法律書籍者的心中」，而談到「一種令眼生刺、心生厭的非法性，假設這眼沒有盲，而那顆心既非鐵石，也尚未腐化」──這些都很好，但是當危急時刻來臨，恐怕這些東西就會不見了。在此環境下，為非作歹的人非常了解他生活於其中的國家之法律文字和精神，而今天，當他們必須負起罪責時，我們要求於他們的，事實上是要那種深藏於內心的「合法感覺」去牴觸國家法律以及他們對國家法律的認知。在這種情況下，要他們去察見「非法」，所需要的遠大於只是要求眼不盲、心非鐵石或沒有腐化。他們行動當時的條件是，每個道德行為都是非法的，而每個合法的行為都屬於犯罪行為。

因此，不只耶路撒冷的法官，而是所有戰後審判，所做出的判決都清楚道出一種樂觀的人性觀點，預設了獨立的人類能力，可以不靠法律和輿論，全然自動自發地在每個狀況發生時，對每個行為和意圖重新下判斷。或許我們真的擁有這種能力，每一個人在行為的時候都是立法者，但這不是法官的意思。雖然用了種種說辭，他們所指的不過是一種感受，因為這種東西是與生俱來，延續了好幾個世紀，不可能在短短時間內消失不見。但就我們所擁有的證據來看，我認為這

是很有問題的，況且，「非法」的命令年復一年接踵而來，而並非每個命令都毫無計畫地要求你做出互不相干的犯罪行為，而是一步一步，處心積慮地要建立新秩序。這「新秩序」正就是它所說的──不只新的恐怖，更重要的，是一個秩序。

有一種普遍說法，認為我們在這裡所討論的不過是一幫犯罪分子，在密謀之下什麼壞事都會幹，這是嚴重誤導。確實在運動的菁英組織中有不少犯罪分子，而其中很多人罪大惡極。然而只有在政權初期，在衝鋒隊掌管下的集中營裡，這些兇殘暴行才有清楚的政治目的：散播恐懼，以無可言喻的恐怖，淹沒所有組織反對力量的企圖。但這些殘暴行為並非典型，而更重要的是，雖然大受縱容，這些行為實際上是不被允許的。就像偷竊和收賄一樣，是不被允許的。相反地，如同艾希曼後來一再堅稱，上級指示說：「避免不必要的折磨」，而警方進行訊問時說，這些話用在正被送上死亡之途的人，聽起來有點諷刺，他卻還搞不清訊問的警察在說些什麼。艾希曼的良知反抗殘暴的念頭，但不是反抗謀殺的想法。另外一種同樣誤導人的普遍想法是，我們在此討論的是一種現代虛無主義的爆發。但願我們了解虛無的信條在 19 世紀的意思是：「沒什麼不可以。」良知之所以那麼容易變得遲鈍，有部分是直接源於一個事實：絕對不是什麼都可以。

……

每個組織都要求服從上級，遵守國家的法令。服從是第一序的政治美德，沒有服從，則沒有任何政治體可以維繫。

無限的良知自由並不存在，因為它意味著所有組織社群的滅亡。聽起來很合理，必須花一點功夫才能察見其中的謬誤。其似是而非之處基於一個事實：用麥迪遜的話來說，「所有政府」，即使是最專權的統治形式，如君主專制，「也奠基於同意」，而謬誤之處就在於將同意（consent）等同於服從（obedience）。成人同意，兒童服從；如果成人會服從，事實上他是支持那個要求「服從」的組織、權威、或律法。此謬誤因為由來已久，因此危害更大。我們用「服從」一詞說所有這些嚴格意義下的政治狀況，可追溯到古老的政治學概念，自柏拉圖和亞里斯多德以來，這概念就告訴我們，每個政治體都是由統治者和被統治者組成，前者下令而後者服從。

當然，我無法在此細述這些概念為何會進入到我們的政治思想傳統，不過我想指出，這概念取代了較早的概念，這些概念我認為較確切的表示出一致行動領域中人與人的關係。根據這些較早的概念，每個由多人所完成的行動，都可分為兩階段：由「領導者」所發動的開始階段，以及許多人合力使之順利完成，變成一個共同事業的完成階段。此處的重點在於，沒有一個人，不論他多強，可以不靠他人的幫助而完成什麼事情，不論是好事還是壞事。這裡有了平等的概念，說明「領導者」不過是其同儕當中的第一人（primus inter pares）而已。那些看起來服從他的人，事實上是支持他與他的事業；沒有「服從」，此人就會無依無助。在托兒所或奴隸制度條件中，如果小孩和奴隸拒絕「合作」的話，無助的是他

們；服從的概念在這兩個領域才有意義，而由此又轉置到政治事務。即便是在有固定層級秩序的嚴格官僚組織裡，從整體支持共同事業的角度來注意齒與輪的運作，也比談論一般所說的服從上級有意義得多。如果我遵守這個國家的法令，我就是在支持它的體制，這情形對照革命分子和反叛者來看會更加凸顯，他們的不服從等於是撤回這種默許。

就這角度來看，獨裁統治下不參與公眾生活的人，就是在逃避那些要求服從以表示支持的地方，他們避開要負那種「責任」的地方，藉此表示拒絕支持。只要稍加思索便可知道，如果有足夠的人如此「不負責任」，拒絕支持，縱使沒有採取積極的抗拒或反叛，這些政府會有什麼後果，不論其形式為何，也就知道這可以是多麼有效的武器。這其實是我們這個世紀所發現的許多非暴力行動和反對形式當中的一種——譬如公民不服從的潛在力量。然而，之所以可以要求這些不曾出於自己的發動犯下任何罪行的新型罪犯，來對他們所做的事情負責，是因為在政治與道德事務方面沒有所謂的服從。服從這個詞，唯有一處可以適用於不是奴隸之成人，那便是宗教領域，在宗教裡，人說他們服從上帝的話或命令，因為上帝與人的關係，可以視同成人與小孩的關係。

因此，對那些參與者或服從命令的人所提出的問題，絕不應該是「你為什麼服從？」而是「你為什麼支持？」若知道「文字」對於人心會造成什麼奇特而有力的影響，知道人首先就是語言的動物，那麼這文字的改變並非語意上的枝微末

節而已。如果能將這有害的「服從」字眼從吾人的道德和政治思想語彙中剔除，就會獲益良多。如果我們徹底思考這些事情，或許能重新拾回一些自信與驕傲，也就是拾回從前稱為人的尊嚴和榮譽的東西：也許不是人類的、而是作為人的地位所具有的尊嚴和榮譽。

鄂蘭的文章，讓我們直接面對當前我們的存在危機意識，在獨裁專制政體下每個人如何自處？我們是不是跟隨法蘭茲的村長所說：「識時務，懂大體，效忠不過是舉手禮，唸幾句話，何必令自己太難堪，累及家人。」或者執著自己的信念，認真思考為何「服從」，有沒有勸服自己良心的理據去「支持」這一個決定？

鄂蘭說過平庸的惡在於人們拒絕思考，盲目跟隨大眾所行之路，以為有「法」可依，所作所為，並不構成任何「惡行」。但當一切極權統治有一天變成歷史後，我們怎樣回應每一個人在這「獨裁統治下」的責任問題！

我沒有確定答案。引鄂蘭的文章便是要求我們要反省，用我們的自由思索，拒絕「平庸」！

2021 年 3 月 20 日

［附錄］ 泰誓（上）
大埔山人

　　鄂蘭俯瞰我們，我們既已被迫散步在死草上，在枯老之池沼裡，不如看看隔鄰剛路過的孔子。

　　孔子一行被困蒲城，一番激烈打鬥後算是懾住蒲人，蒲人在城門跟孔子商議，願開城門放他們走，只有一個條件，孔子須向蒲人起誓，出城後不再回衛國，孔子在考慮中，蒲人繼續磨刀霍霍。

　　孔子有三個選擇：拒絕、暗渡陳倉改變誓辭內容、或照單全收向蒲人起誓。先要考慮的是拒絕與否，其餘兩個選擇均向蒲人示出某種屈服。以來龍去脈說，蒲人明顯無道，身心不義，播其惡於眾，以力屈人，侃侃然理曲氣壯，拒絕起誓應是唯一的選擇，甚至不能算是選擇，根本不用思索，但孔子很明顯在考量，考量什麼？一拒絕，轉身蒲人一劍出鞘尚未反應已成肉醬，是否怕死？其實又不怕，捨生取義，平常這樣說，不也應這樣做？但孔子在考量，拒絕完後變肉醬算取了什麼義？

　　其實無人會知道，孔子一行全變肉醬，只是魯國若干年後統計報告多了幾十名失蹤人口，無人知道他們在蒲城發生過什麼事，只剩蒲人的版本，那孔子給說成了盜跖也是可能發生的。這

裡的考量是拒絕本身是否有內在意義，而這意義是否能在拒絕之中彰顯，或是否會因不拒絕而蒙塵。三個短問題：第一，當然有，義不帝秦本身就是意義；第二，未必，不帝秦給殺了頭秦還繼續向霸王帝國推進；第三，也未必，等多幾年在博浪沙做大茶飯[5]更彰顯其意義。其中第二和第三須合併考慮，若沒有博浪沙，起碼要藏簡孔壁，若兩者皆無，寧願送頭去斬，否則連第一也達不到，成了最最平庸沉默的幫凶。好，扯遠了，孔子想的是，你們蒲人不義，若我出城能阻止你們的行徑，無論如何我也會將自己弄出城外，若我出城也無用，那我不如跟你們再打就死在這裡，那麼若我真能出城以後阻止不到你們？做了就是做了，無做就是無做，騙到人騙不到自己，這點孔子非常明白，因為是他告訴我們的。所以，出城是個須背負餘生的責任，若經仔細考慮，因種種原因無以背負如此責任，那取義就不出城，若要出城，則要時刻背負，念茲在茲，待時而動，斷無藉口敷衍，此乃出城義與不義之別。若此責任一消失，那出城就變成投降，連妥協也不是，妥協是有尾巴的，尾巴就是責任，沒有的叫投降，由於妥協還是投降外表分不出，全乎一己，若彼人已失其心，混雜在行商之背遠走[6]，也只有自己知道，讓責任消失的誘惑實在強大，出城是條絕對孤獨險惡的深山泥路。

　　孔子決定出城，因他準備折返衛國通報蒲人之所為，起誓遂

5　落草為寇者幹大事業。

6　截自李金髮〈夜之歌〉，有關之句為「彼人已失其心，／在混雜在行商之背而遠走。／大家辜負，／留下靜寂之仇視。」

不能免，關鍵是如何起誓。正常來說，要出城就要跟蒲人手伸頸前的誓辭起誓，但二千五百年後有位切‧格瓦拉的追隨者在面對相似情況時既沒拒絕亦沒接受，他將句子和詞語用不同原文標點的方法讀斷，沒改一字，但意思完全不同，算滿足了蒲人的要求，又沒起違心的誓，其志可嘉，但會否被蒲人發現誓辭的內容其實已完全改變？一旦發現了，跟一開始拒絕起誓不還一樣？若在心中自行句逗，事已至此，那為何不照稿起誓做樣？

已矣，那就照足向蒲人起誓，既然後事已知，剩下還須處理的，不是誓辭的意義，而是起誓本身的意義。

2021 年 3 月 22-24 日

[附錄] 泰誓（下）

大埔山人

　　起完誓，終於走得，一出城門，孔子果然折返衛國，子貢即問，才起完誓就背棄誓言了？孔子的回答成了名句：要盟也，神不聽。

　　有沒有神沒關係，重點是起誓的基礎因要脅而無效，所以誓辭也無效。

　　但這令人很難過，因為常態是深思熟慮才起誓，合乎義的才起誓，做得到的才起誓，若常須起誓而反，神不聽也好，自己也不忍卒聽，見證自己起完又反其實是種凌辱，長期折磨，終於不是精神分裂，就是對誓言麻木，對人與人言也麻木，然後紐帶廢弛斷裂，只剩一地粒子。

　　因為孔子只需面對一次，所以他可將起誓的基礎一併剷起，而不動搖自己的中心；其他人要找其他辦法處理。

　　四十年前猶太裔管風琴家柏林斯基（Herman Berlinski, 1910-2001。原為德人，納粹蠶德後旅美）接受《華盛頓郵報》訪問時，談起猶太教一段很重要的禱文〈一切誓願〉，在贖罪日首誦的禱文，試譯如下：

　　　　一切誓願、誓約、獻身、承諾、責任、罰則及誓言，凡我

　　等已立而守之：

　　　從上贖罪日至此贖罪日生效之種種，我等為此一切懺悔。

　　　它們將盡廢除，不復存在。

　　　它們將不復約束亦不復有效。

　　　我等之誓願將不復誓願。

　　　我等之誓約將不復誓約。

　　　以及我等之誓言將不復誓言。

　　看來不明所以，因為不是常態下的產物。猶太人在天主教或伊斯蘭教社會被迫改宗並屢受迫害，還須繼續生存，也還須繼續面對神，總得想法子處理身心背馳的問題。

　　這就是禱文何以必須存在並置首。講完種種歷史和文化原因，柏林斯基回到本行，給了他自己覺得的原因：禱文沒有提及任何迫害，因為環境不許，但誦此禱文的旋律說出文字不能說出的，旋律自身說出無窮悲痛，猶太人心靈不能忘記歷史的如此悲痛。

　　訪問最後，柏林斯基憶起兒時問母親如此禱文何以如此唱誦，她回答，如此唱誦以讓我們如此哭泣。

　　是的，旋律催人淚下，是為了讓我們哭——還記得蕭士塔高維奇曾在納粹侵蘇後對家人說，我們終於可以免於恐懼堂堂正正的哭了——為要盟而哭，實不為神聽或不聽，只為保持自己的感覺，維護自己作為一個普通人的尊嚴。

2021 年 3 月 24-25 日

［5］ 強權下的自由：
凱爾納的《我的反抗》

　　馮睎乾先生 2021 年 3 月 28 日在《立場新聞》的文章裡，提到一本 2011 年出版的日記，作者是一位在德國納粹時期的法庭行政人員，弗里德‧凱爾納（Friedrich Kellner, 1885-1970）。他反對納粹黨但無奈接受強權下的噤聲生活，但暗中寫下從 1939 年 9 月到 1945 年 5 月的日記，記錄了當時納粹暴政下的罪行，德國人的種種心態和反應，及他的批判思考。日記隱藏了差不多二十多年，不敢張揚。直到他的孫子將這本重要紀錄面世。其中轉折經歷複雜，最後 2011 年出德文版，2018 年由孫子 Robert Scott Kellner 翻譯成英文出版。書名為《我的反抗：弗里德‧凱爾納的日記──一個德國人對抗第三帝國》（*My Opposition: The Diary of Friedrich Kellner — A German against the Third Reich*）

　　一個人反抗第三帝國？有可能嗎？他沒權沒勢，沒兵沒槍，怎可能對抗一個龐大的軍國獨裁政權？在納粹暴政統治下，沒有公民自由，沒有公義和法治，只有殘暴軍權。還有什麼可以做？有的！他仍有主體自由，思想自由，仍有良知和筆桿！他的日記便是歷史的見證，是揭現政權謊話和殘暴罪行的武器！強權下生活，大部分人都投降了，至少噤聲收口，無可奈何生活下去。但

仍有不少人用不同方式去對抗！強權只能將真相遮蓋，但不能毀滅；將公義打壓，但不能取消！

歷史本是過去了的事情，日記是個人的回憶，有什麼值得看？錯了，歷史不是過去的，是現在進行式的，當我們讀這日記時，會發覺這些過去便是現在。

我不能全面談論這本五百多頁的書，現在只翻譯他最早的幾天日記給大家參考：

（原文出自 Cambridge University Press, 2018，頁39-46，作者翻譯。）

1939年9月初

　　我們的領導人已經失去理智。……任何人如何與被當作奴隸的人進行戰爭並贏得勝利？今天的情況就是這樣，生活總體上已經不值一提。一個被騷擾、被折磨、被恐嚇、被極度壓迫的人民，竟然要讓自己被暴君槍殺。恐怖沒有對等的考慮，黨的元老當警察的線人。正直的德國人幾乎沒有任何勇氣去思考，更不用說話了。

1939年9月17日

　　誰來承擔這個責任？沒腦子的人民！用一個人的腳踐踏民主，把權力交給一個人去統治八千萬人，這太可怕了，人們真的可以為將要發生的事情而顫抖。一個民族允許一種

思想被灌輸和錘煉，狹隘地遵從每一個建議，讓自己被踩在腳下，被折磨、被欺騙、被耗盡——此外，還必須在國家控制下，喊出「希特勒萬歲」，對於這樣一個可怕的時代，對於整個民族如綿羊般的忍耐，人們只能在心裡感到深深的悲哀。難道根本就沒有人了嗎？我相信我可以對這個問題做出否定的回答。這些人只能和一群被帶到屠宰場的羊群相比，就像這群羊一樣，甚至沒有意識到自己的力量和痛苦。

哦，上帝，請讓你的光亮照亮和憐憫這些人吧！

1939年10月7日

太多的同胞被國家社會主義的宣傳所蒙蔽。「太陽」政治使那些本應更批判地看待「法塔·摩根納海市蜃樓」並認清其本質的人上當受騙：虛張聲勢和詐騙；公眾欺詐。主要的指導方針是「只要不思考」。而且是如此迷人地「美麗」、使得「領袖」讓那些懶得思考的人明白了一切。普通人會說：「領袖會把事情做好」；或者像一個可憐兮兮的當代人曾經對我說；「你不應該為這些想法而煩惱，這一切都會被處理好的。」

……

一個有理智的人怎可以認為這個犯罪系統裡有任何永恆價值？

這個納粹暴政犯了什麼重要錯誤？

1. 強制的問候語：「希特勒萬歲！」

2. 把人民分成黨員和非黨員。

3. 片面控制輿論——即是只有一種新聞和一種聲音。

4. 壓制意見的自由表達。

5. 保護老戰士和黨員，即使他們是罪犯。

6. 迫害正直的公民，只因為他們曾經有另一種意見。或許被
   納粹稱為膿包。

7. 對猶太人的迫害和滅絕。

8. 不尊重人們的宗教信仰。

9. 不斷改變法律：新的法律卷帙浩繁，和以千計的規章，即
   使是專家也無法跟上他們自己的科目。

10. 全國特別是黨及其機構的過度組織化，令人難以置信。

11. 沒有效率的辦公室和臃腫的官僚機構。

12. 不考慮收入的不負責任的開支。

13. 保護國家中最壞的人（赦免等）。

14. 沒有盡頭的稅收負擔。

15. 大批依靠納粹福利組織的要飯者。

16. 納粹黨員不勞而獲的保障和好處。

17. 「領袖命令，我們服從！」

18. 「我們的一切都歸功於我們的領袖。」

1939年10月9日

　　像我們這樣的人不斷地問：「德國人這樣有文化的民族怎

223

麼可能把絕對的權力交給一個人？」人們必須對這種完全的愚昧和懦弱感到絕望。我們的祖先幾百年來為之奮鬥的成果，在1933年被德國中產階級無端的粗心大意、不可理喻的輕信和該死的輕浮態度所埋葬了。我們的自由詩人完全白活了。過去，有理想的青年為自由而戰。今天，在可怕的暴政下，他們允許並維護著雜耍者和魔笛手的虐待。這樣的人是不值得繼續存在的。

……

1932年，《法蘭克福報》的編輯寫道：「德國人民將再次渴望民主──跪下來」。但在廣大德國人再次為民主做好準備之前，他們將不得不從國家社會主義的苦杯中喝到最後一滴。這是我從一開始的觀點。只有當人們對空中城堡和其他奇蹟的希望最終熄滅時，整個紙牌屋才會倒塌。每個人自然會說他知道會是這樣的結果，沒有人會說他與國社黨（NSDAP）有關。在經濟繁榮時期，99%的人都在高喊「希特勒萬歲」（Heil Hitler）、「勝利萬歲」（Sieg Heil）。一個人可能會因為它承諾為他或他的孩子帶來個人利益而隨波逐流；另一個人則是因為他是個弱者，不想逆流而上。工匠只看到了利益。農民相信希特勒會使他免於納稅。每個人都有適合自己目的的東西，而這整個醞釀的過程被稱為「國家社會主義」，最糟糕的部分是報紙上的抹黑者。喋喋不休和口若懸河的人被允許投入他們的兩分錢，只要他們的轟轟烈烈的短語讚美納粹系統或其附屬組織。……統治者們像神一樣，每小時都

能為自己的工作鼓掌，並對自己進行大量的讚美。他們什麼
也聽不到，只有自己的聲音砰砰作響。他們看不到人民的聲
音，也感覺不到他們所壓迫的人的悲憤。戈培爾在未上台前
的「鬥爭時期」（Kampfzeit）中說過，國家社會黨人可以驕傲
地說，他們永遠能聽到人民的聲音，會知道他們的苦惱和願
望。但是，一旦這些人掌握了權力，坐在扶手椅上，為自己
的巢穴塗脂抹粉，就只有最殘暴的力量來統治──沒有任何
寬大的餘地。除了對自己的黨員有最大的縱容，必須讓他們
安分守己，以免他們把整個制度瓦解。

……

1939 年 10 月 10 日

為了不讓人民把怒火發洩到實際的壓迫者身上，每個時代
的統治者都會採用轉移視線的策略來掩蓋自己的罪過。整個
針對猶太人的行動，無異於給野獸扔下一塊肉。「猶太人是
我們的不幸。」人民的正確回答應該是：「不，不是猶太人，
而是納粹是德國人民的不幸。」

今天的情況也完全一樣，只是現在鼓聲對著英國人打。每
一個通情達理的人都知道，如果我們的行為舉止得體，我們
本可以與英國取得令人滿意的關係，至少在某種程度上是如
此。我們的一切都是武器和戰爭的吶喊以及不斷的威脅──
沒有合適的中間地帶。其目的是為了恐嚇所謂的或真正的對
手，使其願意與我們保持良好的關係。但永恆的劍拔弩張只

會導致一件事，那就是戰爭。

　　從我們所有的宣傳中，可以清楚地看到我們這邊缺乏善意。我們一有機會就對英國人進行惡意的嘲諷。我只需要想到巴勒斯坦。在我們把猶太人趕出德國的同時，我們通過廣播和報刊喚起阿拉伯人抵制猶太人定居的熱情。這種狂熱地讓各地的英國人的生活變得更加困難，然後又為之欣喜若狂，使我們看起來很可笑。

　　……

　　第二次世界大戰剛開始於 1939 年。凱爾納已經看透納粹暴政的面目。當然他沒有能力去對抗，身為德國人，看見自己偉大的文化思想傳統被一個人的野心摧殘，將理性埋葬，能不悲憤莫名嗎？更痛苦的是知道身邊無數人的附和，並出賣人性尊嚴換取低微的存在條件。在以後的日記中他詳盡的記錄這些罪惡。

2021 年 4 月 2 日

[6] 自由與流亡： 薩依德論〈關於流亡的思考〉

I

子曰：「道不行，乘桴浮于海。從我者其由與？」《論語：公治長》

業師勞思光先生（1927-2012）六十六年前（1955）剛從台灣流亡到香港，寫了下面這篇頗為感性的文章：〈六年心倦島雲低〉，形式是一封給友人的信，談他離台前及初到香港的感受。我節錄如下：

> 我不是長住香港的人；而且殖民地究竟是殖民地，我也不能老住在這兒，等到某一天遇到意外事故而送命，讓報紙上登一條關於「華人男子」的新聞。我是異鄉客，還是「表明立場」為是。
>
> 這樣，我猛然想起登樓賦中的句子：
>
> 「雖信美而非吾土兮，曾何足以少留！」
>
> 真不錯，「東方之珠」雖「美」，卻非「吾土」。我也覺得「何足以少留」，但不得不「留」在這兒。
>
> ……

227

　　有好幾次，我是閒閒地走著或坐著，我常常仰起頭看看天空；而心意之不輕快，正如天空低垂的暮雲。因此在數月以前的一個下午，我曾經信口作了兩句詩：

　　「萬里夢迴江草白，六年心倦島雲低。」

　　上一句算是故國的懷思，下一句呢，不過寫這種悶悶的、重重的閒思而已。

　　似乎「沉重」與「沉悶」正好描寫我六年來的生活。你知道我近年並不喜歡熱鬧，因此，我現在所嗟傷的「沉悶」，自然不是興趣一面的意義。那是時代生機缺乏的後果。我的沉重感，也不是私人的困難所能解釋，雖然我私人環境確有重重問題。這一切你應都能了解。

　　幾次相見，都有過長談；但現在寫這封話別的信，仍覺得可說的話太多。也許這就是所謂別意了。在台灣我整整消耗了六年光陰；從我初來時起，一直我不曾喜歡過這個地方；我討厭這裡的氣候，聽不懂這裡的人的語言，尤其不習慣許多地方的「東洋味」；然而我現在遠行在即，從一條條街上走過，卻居然有懷戀之情。因為，這是祖國的最後土地了。不論怎麼樣說，只有這個最不為我所喜的小島上，有中國人的憲法政府；而我此去，隨便到那裡，那是置身於異邦統治之下。我的懷戀，當非無端。

　　……

　　在自責的心情下，我當然並無驕矜之意。可是我所做的事，我也不想抹煞其客觀意義。中國近百年來，已經很少有

能獨立思想的人。根本不關心人生，不關心歷史的人們，喫喫喝喝，玩玩鬧鬧，一混就是一世，自然就不必說了。即使真真有意要探索人生歷史的深處的有志之士，每每也跳不出那些五花八門的網羅，在網羅中，人不能見真天地；於是或者走入一個權威者所設圈套中殭化自身，或者不入網羅，步步後退，無地可退時便坐下來不再動，直到志氣消沉，不再關心那些大問題為止。他們都不能往前走，因為他們或入網羅，或避網羅，就是不能突破網羅。突破網羅所需的是那一分獨立的精神，或者狂者氣象；但這正是我們這個時代最缺乏的。我似乎沒有別的長處，但卻有這一分獨立精神。我並非不知道人世間的習慣和禮數，但我總是很自覺地不崇拜資格；不隨眾恭維權威；原因是我想起年青精神的另一面。

當然，我們的時代中倘若方向早已確定，軌道早已建立，則又是另一種情形。可是，現在我們在客觀上並無確定的成就；正軌未立，還要大家開創。而開創的精神必得是有狂者獨立氣味的精神；倘若太強調了對權威的尊重皈依，則權威者既本無充實確立之正軌，跟著走結果也是自束自限；形成一勢力則有餘，開創建立則是不足。試想，今天有權威地位的人，多半是六十左右的前輩；這些先生們的成就，我們不能否認；但同樣不能否認的，則是他們並未能創立正軌，定好方向。今日的青年倘若只想混過一生，自然無話可說；倘若要解決我們這個時代的問題，則豈能只跟著這些人走；而要不跟著別人走，首先便需要有那點獨立的氣概；能夠拋開

世俗的許多東西，然後纔能希望面對真理，這也就是所謂突破網羅了。

狂者精神，本不是大中至正；自然也有所失。我也承認這種毛病有時候很嚴重，可是就今日中國文化思想之衰萎看，就創立工作的需要看，我總覺得目前第一事是要把這種獨立精神提起來。不論毛病如何，這種精神是使中國文化起死回生的第一主藥。

你如果明白我這個基本想法，我的態度便應該不難你所了解。我不否認我有傲骨，而且有時也可能不免有意氣凌人的地方；但我主張要拋開許多世俗標準，則是一種自覺的主張，有它的一點客觀理由。

這樣，我近年寫的那些文章，縱使連我自也不很滿意；它們卻仍是有一點意義的。它們表現我的獨立探索的精神；它們表現一點狂者的氣息。雖說，這只像沉沉海面上的幾點星光，但在我則已盡分。

由於我很想提起青年的獨立精神，我對別人也總是希望他能自發自立。這本來可能不會生大毛病；可是，當我所接觸的人竟拋開自立工作，而只在獨立精神隱蔽下，縱容自己去裝內行的時候，我矍然驚覺其病之大。這應是例外的事。在我根本意思，本不要人偽飾以欺人的。可是，我仍然願意自責。

最近我真真怕寫文章，但還是要寫。這應也是人生一大苦事。我這苦味生活很少人能了解。這就比苦事本身更為可傷了。

　　六年來島上生涯，到今天為止，可說是一事無成，萬感交集。在這封話別的信裡，我有的還只是一片沉重，一片沉悶。有許多想說的話不能說，因此這封信就顯得很空虛了。但空虛亦是我們的時代病，正不必隱諱。

　　可說的話太多，是我提筆時的感覺，但能說的話太少，則是我此際的感覺；反正說多少就算多少，以你知我之深，當亦不必絮聒。

　　幾年前我們先後到台灣來，後來你飄然遠去。你這次回來不久，我卻又將遠游。相聚不長，似乎可以算一點憾事。但是，也許只有在遺憾之感成立的時候，人纔承認了某些事物的可貴處。我曾經在一個外縣住過兩年，從初到的時候起，我一直對那個小城有說不出的煩厭；到我離開那兒，煩厭依然不改，可是，最近，我要走了，打算再到那兒去消磨一個早晨和一個下午，竟然因為種種雜事交擾辦不到；這幾天我一想起來，就有點遺憾的味道；但是，也正在遺憾感出現的時候，我發覺了那個小城也有它的美；我想到那個微帶野氣的公園，我想到車馬無多的街道；我想起我常常在那兒午餐的小市場，我想起許多次踏月夜歸所走過的小巷子；公園很見荒蕪，街道蕭條狹小，小市場是紛亂的，小巷是很不清潔的；但這一切在我懷著微帶遺憾的心情去回想時，便都似乎有一點可欣賞可留戀之處。我們的相聚，當亦是如此。通過有點遺憾的心情，一切的不快便都會顯出可愛來，是不是？

　　信寫了幾段，我又有倦意。這真是我所最覺得不安的事。

我為甚麼老是如此容易倦呢？我近些天又不曾苦思；不曾過勞，偶然睡眠不足，也很快地補上，可是，怎麼還是這樣容易倦呢？「六年心倦島雲低」，但望離開此後，倦怠心情隨低垂島雲而俱逝；在這裡，我有太多的悶悶的、重重的閒生活，悶與重生出一倦；此所以我要離開，我要拋去這種令我倦怠的擔負——縱使它是祖國最後一片土。

（此文收在：勞思光《書簡與雜記：思光少作集（七）》台北：時報出版社，1987，頁273-282。）

　　勞先生祖籍湖南長沙，出生於西安，成長在北平，1949年隨父輩從大陸遷移到台灣。作為自由人文主義者的勞先生，對共產黨和國民黨批評至極，大陸共產黨不容於他，台灣國民黨也難接受，1955年在台灣白色恐怖之下流亡到香港，時年二十八歲。依先生所言，香港是「非吾土」，本不應長留下。但無奈他一生最重要的教學和寫作，結婚成家，就在這「何足以少留」的殖民地上渡過，直至1989年在中文大學退休後重回台灣清華大學當客座教授。他曾誓言除非共產黨下台，終生不回大陸；又除非台灣解嚴，否則也不到台灣。1987年蔣經國解嚴，兩年後他才願意重回台灣。勞先生一生漂泊：長沙、西安、北平、台北和香港，相信沒有一處是勞先生真正的家。留在香港只有一個原因：自由！思想，言論自由，免受恐懼的自由！
　　與他同時在香港有很多避秦南來的知識分子：錢穆，唐君

毅，張丕介等新亞書院諸賢全對共產黨和國民黨同樣唾棄，來香港才能保存自由。大部分以為香港應是暫居之地，不是家園，他們是異鄉客。但可惜終生不能回鄉，老死在這殖民地上。

流亡、放逐、移民是不同的概念。自由選擇從家鄉遷移到別的地方生活，不管什麼原因，是為移民。因為種種原因被政府迫害，或因犯罪而驅逐出境的是放逐。但由於與當權政府信念有衝突，自覺知道一己的思想言論對當權者構成威脅，成為異見者，不能容下，而自願離開所屬的生活世界，是為流亡。有家歸不得是為流亡之苦。

我們這一代在香港出生的人，從來當香港為家，成長過程中認識不少流亡人士，避秦的老師輩們，1989年六四後離開大陸的民運分子，為他們悲傷之餘，我們慶幸有家可歸。我在德國留學時，認識不少台灣同學是逃離國民黨而到德國。很多不願意畢業而長期做學生，因為他們知道，學成之後，沒家可歸。當時我覺很幸運，因為我有香港這家可回。

但是，2019年反送中運動至今，我們才醒覺我們這個家被專制政權毀滅了。「一國兩制，高度自治，民主普選」全是謊言。當法治淪為公權對反對者的打壓武器，當香港經濟自由指數從最高位變成除名，當香港的大學學術自由指數下跌到與非洲國家齊名，這個我們以為家的香港已經死了。Hong Kong is dead, it is now Xianggang. 政治迫害湧起移民和流亡潮。香港不再是家已成事實。我們這批不能接受強權專制獨裁的香港人，流亡便變成我們的存在處境。

老師六十多年前的心境，現在才可以親身體驗。

II

流亡（Exile）在人類歷史中是常見現象。從古羅馬時代的西塞羅，到文藝復興時期的但丁，不少思想家、文學家和哲學家不容於自己的國家民族，被迫遠離家鄉，流亡異地。20世紀極權主義和共產主義更引發更多知識分子，為逃避德國納粹暴政和蘇聯共產專制，離開本國，流亡海外。儘管流亡海外的知識分子為數極多，但反省「流亡」的意義內涵似乎不多。

愛德華‧薩依德（Edward Said, 1935-2003），巴勒斯坦出生，後來流亡到美國的大學教授和公共知識分子，其《東方主義》（*Orientalism, 1978*）奠定他在文化批評學說的重要地位。他對巴勒斯坦人流亡海外現象和問題有深切反省，寫了以下這篇重要文章：〈關於流亡的思考〉（Reflection on Exile）。有關流亡的文學作品為數不少，但專題討論流亡的論文不多，似乎也沒有專書談論。是以薩依德的文章對反省我們的存在處境有重要參考價值。

原文收集在 *Reflection on Exile: and Other Literally and Cultural Essays*, London: Granta Books, 2002。文章頗長，我依原文翻譯和節錄給大家參考。

〈關於流亡的思考〉

流亡是令人有壓迫性的思想，但同時是可怕的體驗。它是

強行在人與故鄉之間、自我與真正的家園之間造成的無法癒合的裂痕；其本質上的悲哀是永遠無法逾越的。雖然文學和歷史中確實包含了流亡者生活中的英雄、浪漫、光榮、甚至勝利的情節，但這些不過是為了克服疏離帶來的殘缺悲傷而做出的努力。流亡者的種種成果，會因為永遠失去某些東西而被永久地破壞。

但是，如果真正的流亡是一種終結性的損失，為什麼它如此輕易地被轉化為現代文化的一個有力的，甚至是豐富的主題？我們已經習慣於將現代時期本身視為精神上的孤兒和異化，是焦慮和疏離的時代。尼采教我們對傳統感到不舒服，佛洛伊德則把家庭親密關係視為塗在弒父和亂倫之罪孽上的禮貌面孔。現代西方文化在很大程度上是流亡者、移民、難民的作品。在美國，學術、知識和美學思想之所以有今天的成就，是因為法西斯主義、共產主義和其他政權給予異見者壓迫和驅逐的難民所做成的。批評家喬治·斯坦納（George Steiner）甚至提出了一個尖銳的論點：20世紀西方文學的整個流派都是「域外文學」，是由流亡者創作的、象徵著難民的時代。因此，斯坦納提出：

「在準野蠻的文明中創造藝術的人，使許多人無家可歸，他們自己似乎應該是無家可歸的詩人，是跨越語言的流浪者。古怪、冷漠、懷舊、刻意的不合時宜……。」

在其他時代，流亡者有類似的跨文化和跨國視野，遭受同樣的挫折和痛苦，執行同樣的闡釋和批判任務——例如，卡

爾（E. H. Carr）關於19世紀俄羅斯知識分子圍繞在赫爾岑（Herzen）周圍的經典研究《浪漫主義流亡者》（*The Romantic Exiles*）就精彩地肯定了這一點。但值得強調的是，早期的流亡者與我們這個時代的流亡者之間的區別在於：規模，我們這個時代——現代戰爭、帝國主義和極權統治者的準神學野心的年代——確實是難民、流亡者、大規模移民的時代。

在這種龐大的、非個人化的背景下，流亡者不容易為人文主義作出貢獻。從20世紀的角度來看，流亡既不是在美學上，也不是在人文主義上可以理解的：關於流亡的文學最多只是將一種痛苦和困境客觀化了，大多數人很少親身經歷；但是，如果認為這些文學提供信息的流亡是對人文主義有價值的，那就等於平庸化了它的缺陷，給受害者帶來的損失，和對任何試圖將其理解為「對我們有益」的緘默的回應。文學中的，以及宗教中的流亡觀，是不是掩蓋了真正可怕的東西：流亡是無可挽回的，世俗的，也是絕對歷史的現象；流亡是由人類為其他人類而產生的；它和死亡一樣，但沒有死亡的最終憐憫，流亡把千百萬人從傳統、家庭和地理的養分中撕裂出來？

……

許多流亡詩人和作家為一個被立法剝奪尊嚴的條件賦予了尊嚴——剝奪人民的身分。從他們身上可以看出，要集中精力研究作為當代政治懲罰的流亡，你必須因此繪製出流亡文學本身所映射經驗之外的領域，你必須首先拋開喬伊斯

（Joyce）和納博科夫（Nabokov），轉而思考聯合國機構為其設立的難以計數的群眾。你必須想到那些永遠沒有回家希望的難民——農民，他們只帶著一張口糧卡和一個機構號碼。巴黎也許是一個以國際流亡者著稱的首都，但它也是一個不知名的男人和女人長年累月度過悲慘孤獨的城市。越南人、阿爾及利亞人、柬埔寨人、黎巴嫩人、塞內加爾人、秘魯人。你一定也會想到開羅、貝魯特、馬達加斯加、曼谷、墨西哥城。當你離大西洋世界越遠，可怕的荒蕪就越多：「無證」者無望的數量、複雜的痛苦，沒有可訴說的歷史。要反思來自印度的流亡穆斯林，或美國的海地人，或大洋洲的比基尼人，或整個阿拉伯世界的巴勒斯坦人，意味著你必須離開主觀性提供的適度庇護，而求助於大眾政治的抽象。談判、民族解放戰爭、人們被綑綁出家門，被催促著、用公共汽車或步行到其他地區：這些經歷加起來是什麼？難道它們不是明顯的、幾乎是設計好的無法復原（irrecoverable）嗎？

我們來談談民族主義及其與流亡的本質關聯。民族主義是對一個地方、一個民族、一種遺產的歸屬感的主張。它肯定了由語言、文化和習俗組成的共同體所創造的家園；而且，通過這樣做，它抵禦了流亡，為防止流亡的破壞而鬥爭。事實上，民族主義與流亡之間的相互作用就像黑格爾的僕人與主人的辯證法一樣，對立面相互通報，相互構成。所有的民族主義在其早期階段都是從疏遠的條件下發展起來的。贏得美國獨立、統一德國或義大利、解放阿爾及利亞的鬥爭，都

是民族團體與被認為是其合法生活方式的東西分離──放逐──的鬥爭。然後，勝利的、已實現的民族主義在回顧和展望時，有選擇地以敘事形式串聯起一段歷史：因此，所有的民族主義都有他們的創始者、他們的基本的、準宗教的文本、他們的歸屬感、他們的歷史和地理里程碑、他們的官方敵人和英雄。這種集體精神形成了法國社會學家皮耶·布迪厄（Pierre Bourdieu）所說的「習慣」（Habitus），即把習慣與居住聯繫在一起的各種做法的一致組合。隨著時間的推移，成功的民族主義將真理完全歸於自己，而將虛假和劣勢歸於外人（如資本主義對共產主義的言論，或歐洲人對亞洲人的言論）。

在「我們」和「外人」之間的邊界之外，是不歸屬的危險領域：在原始時代，人們被放逐到這裡，而在現代，大量的人類作為難民和流離失所者在這裡徘徊。

民族主義是關於群體的，但在一個非常尖銳的意義上，流亡是在群體之外體驗到的孤獨：在共同居住地中不與他人在一起時感到的匱乏。那麼，如何克服流亡的孤獨，而不落入民族自豪感、集體情感、群體激情的包羅萬象、怦然心動的語言中？一方面是流亡的極端，另一方面是民族主義常常血淋淋的肯定，這兩者之間有什麼值得拯救和堅守的呢？民族主義和流亡主義有什麼本質屬性嗎？它們是否只是兩種相互衝突的偏執狂？

這些問題永遠不可能得到充分的回答，因為每個問題都假定流亡和民族主義可以中立地討論，而不需要相互參照。

它們不可能是這樣的。因為這兩個詞都包含了從最集體的到最私密的情感的一切，所以很難有足夠的語言來形容這兩個詞。但民族主義的公共性和包羅萬象的雄心壯志，肯定沒有什麼能觸及流亡者困境的核心。

因為流亡與民族主義不同，根本上是一種不連續的存在狀態。流亡者與他們的根、他們的土地、他們的過去斷絕了聯繫。他們一般沒有軍隊或國家，儘管他們經常在尋找這些東西。因此，流亡者感到迫切需要重建他們破碎的生活，通常是透過選擇將自己視為勝利的意識形態或恢復的民族的一部分。最關鍵的是，擺脫這種勝利的意識形態 ——旨在將流亡者破碎的歷史重新組合成一個新的整體——的流亡狀態幾乎是無法忍受的，在當今世界幾乎是不可能的。看看猶太人、巴勒斯坦人和亞美尼亞人的命運吧。

......

因為沒有什麼是安全的。流亡是一種嫉妒的狀態。你所取得的成就恰恰是你不願意分享的，而正是在你和你的同胞周圍畫線的過程中，流亡中最沒有吸引力的一面出現了：誇大的群體團結感，以及對外來者的熱情敵意，甚至是那些事實上可能與你處於同樣困境的人。還有什麼比猶太復國主義者和阿拉伯巴勒斯坦人之間的衝突更頑固的呢？巴勒斯坦人感到，他們已經被眾所周知的流亡者猶太人變成了流亡者。但是，巴勒斯坦人也知道，他們自己的民族認同感是在流亡環境中培養起來的，在那裡，每一個沒有血緣關係的人都

是敵人，每一個同情者都是某個不友好勢力的代理人，在那裡，只要稍稍偏離公認的群體路線，就是最嚴重的背叛和不忠行為。

也許這就是流亡者最不尋常的命運：被流亡者流亡——重溫流亡者手中的實際連根拔起的過程。1982年夏天，所有巴勒斯坦人都在問自己，是什麼原因促使以色列在1948年使巴勒斯坦人流離失所後，不斷地將他們從黎巴嫩的難民營和家園中驅逐出去。好像以以色列和現代猶太復國主義為代表的重建的猶太人集體經驗，不能容忍另一個被剝奪和喪失的故事與之並存——以色列對巴勒斯坦人的民族主義的敵意不斷加強了這種不容忍，巴勒斯坦人在流亡中痛苦地重建民族身分已經有四十六年了。

……

流亡者看非流亡者的眼神是怨恨的。你會覺得，他們屬於他們的環境，而流亡者卻總是格格不入。出生在一個地方，在那裡停留和生活，知道自己屬於這個地方，或多或少永遠屬於這個地方，這是什麼感覺？

雖然說凡是被阻止回家的人都是流亡者，但流亡者、難民、僑民和移民之間還是可以做一些區分的。流亡起源於古老的放逐做法。一旦被放逐，流亡者就會過著反常而悲慘的生活，被打上外來者的烙印。而難民則是20世紀國家的創造。「難民」一詞已成為一個政治詞，意味著一大群無辜和迷茫的人需要緊急的國際援助，而「流亡」一詞，我認為，

它帶有一種孤獨和精神的味道。

……

無論他們過得多好（參原文 "how well do may do"），流亡者總是有異於常人，他們覺得自己的與眾不同（即使他們經常利用這種與眾不同）是一種孤兒的身分。任何一個真正的無家可歸者，都會把在一切現代事物中看到疏離的習慣看作是一種矯情，一種摩登態度的表現。流亡者像抓著一件武器一樣抓著差異，要用僵硬的意志來使用，他或她嫉妒地堅持自己拒絕歸屬的權利。

……

當代人對流亡的興趣在很大程度上可以追溯到這樣一個有點蒼白的概念，即非流亡者可以分享流亡作為一種救贖動機的好處。誠然，這種想法有一定的合理性和真實性。就像中世紀的吟遊學者或羅馬帝國的學識淵博的希臘奴隸一樣，流亡者——他們中的特殊者——確實會使他們的環境變得豐富多彩。而「我們」自然會把注意力集中在「他們」中間存在的那種啟迪性的方面，而不是他們的痛苦或要求。但從現代大規模失調的黯淡政治角度看，個體流亡者迫使我們在這無情的世界中，認識到無家可歸的悲慘命運。

一代人之前，西蒙‧韋伊（Simone Weil）就曾簡明扼要地提出過流亡的困境。她說：「扎根」，「也許是人類靈魂最重要、但最不被認可的需求」。然而，韋伊也看到，在這個世界大戰、驅逐出境和大規模滅絕的時代，大多數對背井離鄉的補

救措施,幾乎和它們所宣稱補救的東西一樣危險(參原文 "as dangerous as what they purportedly remedy")。其中,國家,或者更準確地說,國家主義——是最陰險的一種,因為對國家的崇拜往往會取代所有其他的人類紐帶。

韋伊讓我們重新看到了那個處於流亡者困境中心的整個複雜壓力和制約因素,正如我所言,這就像我們從現代走進悲劇一樣。這是孤立和流離失所的純粹事實,它產生了一種自戀的受虐狂,抵制所有改善、適應和社區的努力。在這種極端的情況下,流亡者可以把流亡當成一種癖好,這種做法使他或她與所有的聯繫和承諾保持距離。活得好像周圍的一切都只是暫時的,或許是微不足道的,就是陷進輕佻的憤世嫉俗以及疑惑的無愛中(參原文 "...is to fall prey to...")。更常見的是對流亡者施加壓力,要求他們加入黨派、民族運動、國家。流亡者被提供了一套新的隸屬關係,並發展出新的忠誠。但同時也失去了批判性的視角、知識儲備和道德勇氣。

還必須認識到,流亡者的防禦性民族主義往往能培養自我意識,就像它能培養不那麼有吸引力的自我主張形式一樣。像從流亡者中組建一個國家這樣的重建項目(在本世紀對猶太人和巴勒斯坦人來說就是如此),涉及到構建一個民族歷史,恢復一種古老的語言,建立圖書館和大學等國家機構。而這些雖然有時會助長赤裸裸的民族中心主義,但也引起了對自我的調查,這些調查不可避免地遠遠超出了「民族性」這樣簡單而積極的事實。例如,有個人的自我意識,試圖理

解為什麼巴勒斯坦人和猶太人的歷史有一定的模式，為什麼儘管受到壓迫和滅亡的威脅，但一種特殊的風氣在流亡中依然存在。

因此，我所說的流亡不是作為一種特權，而是作為支配現代生活的大眾機構的一種替代。流亡畢竟不是一個選擇的問題：你生來就有，或者它發生在你身上。但是，只要流亡者拒絕坐在一旁養傷，就可以學到一些東西：他或她必須培養一種嚴格的（而不是放縱或悶悶不樂的）主體性。

薩依德對流亡的反思對我們有什麼意義？他將我們對自身流亡這存在危機境況，從香港帶進當代世界文化和歷史脈絡中，令我們醒覺到流亡是無數民族的悲劇。他當然不明白我們的處境，他關心的是巴勒斯坦流亡者，以及當前無數無家可歸的不同民族流亡者或難民。但有一點是所有流亡者共同的處境：無家可歸（Homelessness）。

我們當然解說「四海為家」，或說「我心安處是吾家」等等安慰自己和其他流亡者的美言，但總掩蓋不了悲涼的情懷。無家可歸不單是指離鄉別井、不能重回家鄉的意思，也是對當前曾經是家園的地方，被強權暴政毀滅後，每天生活在再不是家的家。正如我一位朋友在日本十年前福島核電廠災難後，重回福島的感受：

「人們在這裡生活的唯一辦法就是自我寬恕，否認一切正在發生的事情。你必須以某種方式欺騙自己，『一切都好，什麼都沒有真正發生。』因為如果你不這樣做，你就不會在這裡。」

我們當然不能否認過去兩年多發生的悲劇，更不能欺騙自己。我之前說過，離開與否，我們已經是流亡分子。海外流亡當然享受「無家」的自由，但絕對不能填補無家可歸的悲痛和無奈。留下的是無家但「有家」的存在：「有家」——一個被毀滅了的家。每天都是對自己良知的挑戰，只能盼望光明的重來。

「無家」的自由和「有家」的悲痛，是我們當前流亡者的存在處境。

後話

幾十年前中學時讀屈原的〈哀郢〉，完全不明白這流亡放逐的悲憤意義。現在知道了。

> 皇天之不純命兮，何百姓之震愆。
> 民離散而相失兮，方仲春而東遷。
> 去故鄉而就遠兮，遵江夏以流亡。
> 出國門而軫懷兮，甲之朝吾以行。
> 發郢都而去閭兮，怊荒忽之焉極。
> 楫齊楊以容與兮，哀見君而不再得。
> 望長楸而太息兮，涕淫淫其若霰。
> 過夏首而西浮兮，顧龍門而不見。
> 心嬋媛而傷懷兮⋯⋯

2021 年 3 月 27 日

［附錄］在家流亡

大埔山人

　　在家流亡是一種矛盾的情況，因為離開家園是流亡定義中最顯而易見，而流亡的意義在離開家園這發生中顯現出來，並交織一起。但在家流亡其實才是最普遍的流亡情況，因為世間之人大多總須繼續生活，甲申之變後又有多少仁人義士，奈何，山人青主之行，不能奢求，然則大眾皆投降乎？亦未必，雖然我們無以揭心而視，卻可從人的本能推測，所有人都投降是不可能的，並不符合常態分布，若離家流亡的5%，主動投降的也5%，那剩下的九成做什麼？一是被動投降，另一是在家流亡。

　　為何要談論這兩個矛盾詞？因為大部分人都是矛盾的，身和心的矛盾，當下和身後的矛盾，故被動投降有不欲投降的意味，在家流亡亦有不欲流亡的意味，那麼兩者有什麼分別？外表無以分出，如大家都會剃髮易服，由於身與心同時參與面對生活中所有發生而作之決定，繼續自己的存在必定是大部分決定的決定因素，因為一般情況下物理需求勝過精神需求；那邊廂，流亡則由心主導，所以只5%的人，還可能已給估多了。

　　分別在於如何照見自己的生活和環境，被動投降的人活在自己的生活和環境之中，他們的心不欲投降，但身須投降以繼續自

己的存在，因為他們與他們的生活和環境不可分割，他們也不得不承認自己已投降了，且不知不覺或覺時亦不得不如此。在家流亡的人之身亦投降，因他們也須繼續自己的存在，但他們與他們的生活和環境分割開，他們的心觀照其身投降，並在這觀照中異化其身處之生活和環境，由此拒絕其心的投降，這種矛盾驅使他們對其生活和環境採取警覺和逐事分析的態度，而不是被動投降者順生活流動而認命之條件反射，在家流亡亦從這種異化獲得流亡意義的合理性。

離家流亡之發生自動異化流亡者的生活和環境，無論是原本家中的還是現在客居的，他們的道德和精神力量不只來自其犧牲，更源於這種無端的、必然的、極其痛苦的異化下，對推展至一切生活和環境，以至人之存在之深刻了解和省悟；在家流亡者異化自己身處的生活和環境，是一般人在其心不能超拔其身的情況下能做到的最好的了，因為他們在異化的觀照時會照見自己的處境，剎那一種無以名狀的空虛孤獨黑暗，如此一感知離家流亡者之精神，其心此刻一刻之超拔，而生活之沉默微小喑啞，種種屈辱亦在此獲得意義，成為流亡必經之苦路，而非被動投降者之逆來順受之不問也不敢想。這條闊路之吸引在於不用清醒面對生活中的屈辱及投降以生活的屈辱，因為淹留痛苦的生活中是無法找到痛苦的意義，若沒有意義就真只能投降，意義要離開生活以觀照生活而得，但觀照自己的生活的痛苦，絕不亞於本身的痛苦，所以離家流亡者可算是被迫觀照自己的生活，由此在家流亡者實踐異化其勇氣，絕不亞於離家流亡者去家為異客，亦覺斯贈

道未之書[7]其勇氣絕不亞於山人寫禿鳥之目[8]。

在家流亡者之勇氣何來？在於其醒覺必須面對當下和身後之矛盾，念身後悠悠，其身折舊歸零，念此面對生活，戚然不得順流去，異化於不覺，或有人以此為內在抵抗，也可，但也不必如此理解，異化本身不為抵抗，只為保持人的尊嚴，保持投降的身其心的尊嚴，最極端的情況就是猶太教那段〈一切誓願〉禱文，自己與自己的生活絕對的異化，其身絕對的投降，與其心絕對的不投降，如此之割裂，痛勝刀割，奈何奈何，所以猶太人必定是在會堂聚會才會誦此禱文，非於社群之中無以面對承受，普羅高菲夫和蕭士塔高維奇切割昏曉寫曲抽屜[9]亦須極端柔韌之精神才能為之，所有人卻都可圍爐祈禱如猶太人之祈禱，在祈禱後回家繼續流亡。

2021 年 3 月 31 日－4 月 2 日半夜

---

7 覺斯，王鐸（1592-1652）字，明末清初書法家，南京陷落後降清，無奈失節，以竟擬山園帖之刻鑴。道未，湯若望（1591-1666）字，明末清初時來華傳教士。王鐸寫給湯若望的行書詩簡，書法氣勢雄渾，詩情沉痛抑鬱，相互輝映。

8 山人，即八大山人（1626-1705），明末清初書畫家，明宗室，明亡後剃髮為僧隱居作畫，尤工禿鳥怪石，以為寄意。

9 切割昏曉，興自杜甫〈望岳〉「陰陽割曉昏」。普蕭二人從藝於蘇聯官方監控之下，白天須寫曲迎合當局要求，唯一的創作自由在夜闌人靜時寫自己想寫之曲，寫完隨即收入抽屜底下，避免讓線人告發以曲入罪，故說他們切割昏曉，將白天和黑夜之所作切割分明，以保守自己作為作曲家的尊嚴。

PART
5
———

附錄：青年哲學家筆記

劉況著

[1] 連儂牆的世界

這兩個星期，連儂牆遍佈香港。我想起約翰・藍儂和日籍歌手小野洋子合作的一首老歌〈Sisters, O Sisters〉，歌詞講述我們幾乎失去了一切，And we live in despair，「我們活在絕望之中」，彷彿呼應了香港人「反送中」的心境。

連儂牆是公共空間

自6月爆發的反修例運動以來，連儂牆成為了各區的風景。連儂牆不僅是「發聲」的地方，更加是各區小市民自發建立的公共空間。連儂牆起初出現於2014年的金鐘政府總部，現在則變成跨階層的協作。參與者不需要很高的學歷或知識，也不需要特別的身分地位，是一般人都可以參與。參與者可以自發設計口號或圖片張貼，也可以單從Telegram或網上下載，不需要露面，因而也不怕被秋後算賬。跟網上討論區連登有若干相似，都是人民自發組織和交流的空間。與網上討論區不同的是，連儂牆更需要實際行動守衛，例如義工輪流看守，被惡意破壞後，再組織當區居民去重建，並且不時更新，把最近發生的社會衝突和警察暴力的資訊，帶到社區的空間裡，讓不常看網路資訊的人也有機會接觸到。雖然連儂牆不像連登那樣會直接醞釀集會遊行，但它本身

已經令社區生活政治化，提醒每天趕時間上班下班的人們，政治除了是繃緊的衝突外，也是心靈的加油站，讓沒有去遊行現場的人也可以知道，他們身邊有一群人不放棄、不沉默、不畏縮。

話語的解放

在日常生活裡，在政治爭議尚未湧現時，連儂牆的創意和行動力哪裡去了？是被生活的重擔壓抑下去了嗎？連儂牆打開的公共空間是一個前所未有的自由空間，法文可稱為 libération de la parole，人們的語言好像得到解放，平時不會說這些話題，現在都願意去說，甚至覺得不得不說，說出來才對得起自己。如果只看連儂牆上的言論，也許會以為這種言論空間甚為單一，只是同情示威者，抹黑政府，但假如我們把它放在近年香港社會的發展脈絡裡面，則可見香港人爭取民主的聲音屢次被粗暴遏制。2014年人大八三一決議粗暴地否決2017年特首由真正的普選產生，雨傘運動未能逼使政府讓步，2016年開始無理地禁止「本土派」候選人參選，撤銷由普選產生的「自決派」立法會議員的職務，檢控「本土派」和雨傘運動的主要發起人等。這一系列的事件反映中央政府不斷干預香港事務，等於告訴年輕人不要奢望未來會有任何民主政制。在如此蠻橫無理的管治下，任何要求民主化的聲音也完全被政府排除在外，香港人的憤怒自然不難理解。越來越多人難以接受政府託辭「和諧」、「磋商」、「循序漸進」，實則任由中央干預特區。連儂牆看似「一面倒」的言論，實際上是忍無可忍的吶喊，香港人不再甘於迴避爭議和衝突，不再接受虛偽

和矯飾的建制派論述，於是各種表達方式一湧而出，打破禁忌，拒絕沉默。

革命的自由

連儂牆反映了人們公開地表達追求自由的欲望。政治理論家鄂蘭（Hannah Arendt）在1967年的一篇文章〈成為自由人的自由〉（The Freedom to be free），主張自由不是法律制度保障得來的權利，而是爭取自由的行動本身。革命旨在和舊制度斷裂，創立新制度，建立自由行動和言說空間，就是以最真摯和基進（radical）的方式體現自由。她認為，雖然革命很多時候和社會各個群體的權力鬥爭有關係，但革命之所以爆發，其根本原因在於人民認為政府出賣他們的自由（freedom），如言論、集會、結社和信仰等公民權利的自由（liberties）因而受到危害。人們很常以為革命破壞了原有的制度，因而怪責革命分子擾亂社會秩序。鄂蘭指出，事實恰好相反，原有制度失信於人不是革命的結果，而是爆發革命的原因。人民不想再忍受壓迫，想自由地表達其意願，而這種追求自由的意欲不是為了令某些人成為統治者，再去統治另一些人，而是為了建立一個自由的政體，讓每一個人成為真正自由和有尊嚴的人。換言之，自由不是靠憲法或政府保障，而是靠每個人攜手合作的行動。沒有爭取自由的行動，人就不是自由的人。鄂蘭進一步指出革命的意義：「不論革命最終成功，建立起一個自由的公共空間，或者釀成災難，對那些甘願冒險，或者參與其中的人來說，願意承受事態跟自己的意向和期望時有衝突，革命的意義

就是體現人類最偉大也是最基本的潛能，也就是人類具有獨特的自由人的經驗（being free），創立新的開始，由此人們獲得揭開世界新一頁的自豪感，如同美國國徽所示，打開『時代的新秩序』。」[1]

藝術的空間

每當社會面對重大爭議時，就會爆發出很多創作，照片、繪畫、音樂和二次創作等。這些創作不為獲取任何利益或權力，而是人民純粹的公開表達，連儂牆表現了融合藝術和政治的公共空間，是單純服務經濟以外的城市風景。那些破壞連儂牆的人，襲擊布置連儂牆的市民，不僅站在政府那一邊，暴力遏制爭取民主的聲音，其實同時在破壞公共空間，扼殺平時潛伏於社區的聲音，等於把公共空間還原為純粹服務城市經濟和交通的空間，天橋兩旁、隧道的牆壁、巴士站和鐵絲網等，通通像排水管一樣把人流疏導，不容停留、注視或討論。連儂牆上的創作多為匿名所作，有些更會大量複製，因而惹人批評其藝術價值。誠然，連儂牆未必跟藝術館裡常見的藝術品那樣，獨一無異，附帶創作人背景和作品說明。但是藝術品的陳列又是否必然要突出藝術家的身分，代表其獨一無異的風格？

---

1 Hannah Arendt, "The Freedom to be Free" (1966-1967), in *Thinking without a Banister: Essays in Understanding 1953-1975*, ed. Jerome Kohn (New York: Schocken Books, 2018).

感知領域再劃分

　　法國哲學家洪席耶（Jacques Rancière）對當代藝術的觀點，提供了另一個角度來看連儂牆。一般認為當代藝術是指20世紀的創作，但洪席耶主張當代藝術不僅是一個時期，而是來自人們對藝術創作的觀感改變──各種藝術形式，如建築、雕塑、繪畫和音樂等高下層級分別，精緻品味和大眾的粗糙品味，不再視為理所當然。由此來看，戰後的當代藝術或後現代風潮，可以追溯至更早的藝術哲學。洪席耶主張，當代藝術背後有一股追求自由和平等的思潮，人們逐漸把藝術品看作反映社會多於藝術家個人。他認為藝術品代表一個自由的社群的生活方式：「一個自由、自主的社群，就是其活生生的經驗不再被劃分為各個獨立的領域，這種社群不再把日常生活、藝術、政治和宗教看作是互相分離的經驗。」[2] 由此來看，藝術創作不再只是屬於藝術館的財產，不同形式的藝術創作呈現新的生活方式和社會面貌，無分精緻和粗俗的品味，每個藝術創作都重新劃分可感知的領域，把不可見的事物變成可見，把原本可見的事物用另一種方式再現。在1789年法國大革命前夕，政治諷刺漫畫早已賣到成行成市[3]，革命爆發後，革命分子和反革命派各自印行諷刺漫畫，爭奪民心，這種非傳統的藝術品成為了一般人的政治語言。[4] 情況如同連儂牆用最日常

2　Jacques Rancière, *Malaise dans l'esthétique*, Paris: Galilée, 2004, 52.

3　〔編按〕形容某區域內同類商家很多，形成一個特定行業的市場。

生活的語言來談論政治，讓政治成為日常生活的一部分，中產或基層都不會覺得被牆上的裝置排斥。

解放的欲望

順著洪席耶的想法，我們不必去在意連儂牆有否誕生「偉大」的藝術品，而是應該注意牆上的創作呈現了全新的可感知空間，仿日本動漫的人物肖像、遊行照片、手繪和電腦繪畫的海報等，甚至有各種手作製品派發，藝術和非藝術的界線不再分明。毫無疑問，這些作品都承載著政治訊息，例如呼籲人們參與遊行集會，但是卻把城市的空間填滿全新的涵義，而且內容不斷由人民去更新。連儂牆的潛能，不僅在於其內容不斷豐富，更在於其不可被商家收編，拒絕被企業管理或變成商品，因為它突顯了社會原本有的衝突，是一個異議的空間，由此構成其解放的力量。洪席耶指出：「解放的承諾只能經由以下的代價而來，拒絕所有形式的和解，維持作品的爭議形式與日常生活經驗兩者的分裂。」[5]清除連儂牆就是要摒棄人們對思想解放的渴求，不讓批評政府的聲音出現，等於不要辯論，不要對抗，回復原本純粹為經濟服務的城市空間。

一年多過去，反修例運動未竟全功，連儂牆亦終於消失。人們追求思想解放的欲望難道就此消失？約翰・藍儂的歌繼續唱：

---

4 法國國家圖書館（Bibliothèque nationale de France）http://expositions.bnf.fr/daumier/pedago/02_1.htm

5 Jacques Rancière, *Malaise dans l'esthétique*, Paris: Galilée, 2004, 59.

「不再放棄，永不太遲，建立新的世界。」

Let's give up no more

It's never too late

To build a new world

原刊於《星期日明報》2019年8月4日

2020年11月修訂

［2］ 如何摧毀一所大學？

　　去年11月有一些學者在理工大學附近被捕，令我想起許多年前法國哲學家德希達（Jacques Derrida）在捷克被捕的事件。德希達在1982年前往捷克參加異議哲學家海達涅克（Ladislav Hejdanek）舉行的座談會，並從事卡夫卡的文學研究，聲援被捷克共產黨政府壓制的學者。回程經布拉格機場時，德希達就被警察以涉嫌藏毒拘捕，監禁三天，後得法國總統密特朗（François Mitterrand）向捷克施壓始得釋放。德希達從來不是象牙塔裡的學者。他曾於1983年創立國際哲學學院，務求把象牙塔裡的哲學推廣至公共空間，讓社會人士在大學以外有更多渠道認識哲學，接受嚴謹的哲學教育。如果我們問德希達，大學的天職是什麼呢？在2001年他發表了《無條件的大學》（*L'Université sans condition*）⁶一書，他主張現代大學應該秉承學術自由的原則，行使無條件地發問和公開表達的自由，學術研究和知識都假設了公開言說的權利。一言蔽之，大學理念就是無條件的自由，無條件地捍衛真理，用筆桿和行動來對抗來自政府和社會的各種壓力，抗拒各種政治經濟的條件為大學設限。

6　Jacques Derrida, *L'Université sans condition*, Paris: Galilée, 2001.

破壞大學國際聲譽

去年 11 月兩星期裡，我們看到警方寧願在大學校園向學生開火，也不接受校長和社會人士調停，誓要把所有參與示威的學生和社會人士拘捕，控以最嚴厲的罪名。警方不可能不知道圍困校園、向學生發射催淚彈和橡膠子彈等，除了可能造成嚴重傷亡外，更會破壞大學建築和設施。在中文大學衝突現場，二橋數十米外就是研究生宿舍，催淚煙射入夏鼎基運動場草地，化學物殘留在空氣和泥土裡。在理工大學，子彈不斷落在平台上，平台是校園所有人必經的通道，現在處處火頭。大學設施是納稅人巨額資助修建的，理工大學未來一段時間恐怕都無法復課，嚴重阻礙訓練社會各種專業人才，大學許多國際研究項目被迫中斷。當然，示威者留守對引致大學損毀亦有責任，但是平心而論，示威者沒有聲稱長期佔領抗爭，更沒有挾持人質，意圖傷害校園成員，警方根本毋須用如此強的武力驅散。倘若警方克制，避免雙方爆發激烈衝突，衝突並不會如此發生，校園損毀程度亦不會如此嚴重。根據 QS 大學排名[7]，理工大學在酒店和娛樂管理全球排名第五，土木和結構工程排名全球第十五，現在大學爆發國際上罕見的衝突，不但引起國際社會不解，恐怕學術排名亦會急速下挫，大學來年復課和國際招生都會出現不必要的困難。警方圍攻

---

[7] 〔編按〕QS World University Rankings，英國 Quacquarelli Symonds 公司所發表的年度大學排行榜。

大學摧毀了社會多年努力建立的珍貴資產，令香港在國際學術社群裡蒙羞。

社會責無旁貸

大學作為公共財產，除了警方外，社會其他成員同樣沒有盡責守護大學。就目前的證據來看，在衝突最激烈的星期日晚，理大校長沒有積極去緩解衝突，沒有在現場要求警方克制、和示威者對話，只是發聲明譴責示威者和要求散去，此舉等如鼓勵警方武力清場。試問如果理大高層都不主動去守護大學，誰能擔當這重要的角色？面對社會最嚴峻的衝突，隨時流血收場，平日強調反暴力的建制派立法會議員完全沒有介入協調，整個政府沒有派代表出來阻止警方破壞大學這份公共財產，在文明社會裡實在匪夷所思！如果星期天當晚警方強硬攻入理工大學，拘捕所有示威者，這樣就必然會平息民憤嗎？1968年5月法國學生佔領巴黎市中心的巴黎大學，標誌性的建築索邦大樓掛滿標語，警察暴力清場，數百人受傷，結果運動迅速升級，幾天內年輕人大規模示威，修築街壘和警方衝突，進一步引致全國大罷工，造成嚴重的政治危機。1969年日本左翼學生佔據東京大學，警方暴力清場，引發東大安田講堂攻防戰，徹底改變了日本傳統思想，大學本應由學者主理，警方不應干預，自此警方成為箝制大學的工具，引起社會極大迴響。其後，日本保守派政府為了加強遏制學生運動，通過《關於大學運營的臨時措施法》控制學生運動，當大學不能終止學生示威時，由文部省直接接管，大學校長可以馬上終止教學

人員的職務。結果造成左翼學生運動繼續升級，直至1970年，全國162所大學被示威者佔領，大學不得不停課，激進分子後來運用炸彈發動襲擊，政府原本想維持秩序的目標並未馬上收效。這些歷史表明，暴力鎮壓並不能令年輕人服從。反而當政府強硬鎮壓，社會中間派完全放棄舒緩衝突的角色，任由警察指斥爭取社會改革的大學生為「暴徒」、「讀屎片」[8]，全社會都承受著鄙視文化、不尊重理性對話的代價，人民越發失去對政府的信任，就算運動一時沉寂，社會亦難以回復昔日尊重大學的地位。2020年11月中大衝突一週年，有畢業生在校園內發起遊行，紀念去年校園裡的衝突和關注十二名被中國扣押的港人，結果中大校方報警處理，教育局譴責示威學生[9]，翌日警方派員進入校園蒐證[10]。由此可見，香港的大學已經完全喪失言論自由的空間，大學管理層把校園管理權拱手相讓予政府，國際社會還會相信香港有學術自由嗎？

---

8 〔編按〕老一輩罵後輩不學無術。

9 2020年11月19日明報〈中大畢業生校內遊行紀念反修例、扣押內地12港人 校方報警 教育局譴責〉https://news.mingpao.com/ins/%e6%b8%af%e8%81%9e/article/20201119/s00001/1605763158674/%e4%b8%ad%e5%a4%a7%e7%95%a2%e6%a5%ad%e7%94%9f%e6%a0%a1%e5%85%a7%e9%81%8a%e8%a1%8c%e7%b4%80%e5%bf%b5%e5%8f%8d%e4%bf%ae%e4%be%8b-%e6%89%a3%e6%8a%bc%e5%85%a7%e5%9c%b012%e6%b8%af%e4%ba%ba-%e6%a0%a1%e6%96%b9%e5%a0%b1%e8%ad%a6-%e6%95%99%e8%82%b2%e5%b1%80%e8%ad%b4%e8%b2%ac

文明價值的崩塌

《華盛頓郵報》形容香港警方和示威者激烈對峙，令香港「瀕臨崩潰邊緣」（on the brink of breakdown）。想深一層，當政府縱容警察治港，隨意截查市民，在證據不足的情況下大量拘捕和檢控市民，整個文明社會重視的價值全部崩塌，大學這座理性和自由的堡壘只是燃起戰火的前線。警察不惜一切代價，任由大學損毀，也要制服所有大學學生和教職員，意味著要整個社會服從警察的秩序。警察對付人民的行徑，已經是近乎戰爭當中軍隊對付敵人的做法，文明社會頃刻間變成你死我活的戰場。歷史上並非沒有軍隊踐踏大學，所有比利時魯汶（Leuven）的居民都知道1914年德國違反協議，揮軍闖入比利時，血洗魯汶，兩百多人被殺，8月25日肆意焚毀魯汶大學圖書館數十萬冊珍貴書籍，魯汶可說是當時在歐洲藏書最為豐富的地方之一，此舉無異於摧毀人類知識的堡壘。然而，比軍事侵略更醜陋的是為侵略辯護。當時一群講

---

10 2020年11月21日明報〈國安處中大蒐證　學生斥校方就遊行報警　學生會指保安員帶路　中聯辦支持執法〉
https://news.mingpao.com/pns/%E6%B8%AF%E8%81%9E/article/20201121/s00002/1605896888540/%E5%9C%8B%E5%AE%89%E8%99%95%E4%B8%AD%E5%A4%A7%E8%92%90%E8%AD%89-%E5%AD%B8%E7%94%9F%E6%96%A5%E6%A0%A1%E6%96%B9%E5%B0%B1%E9%81-%8A%E8%A1%8C%E5%A0%B1%E8%AD%A6-%E5%AD%B8%E7%94%9F%E6%9C%83%E6%8C%87%E4%BF%9D%E5%AE%89%E5%93%A1%E5%B8%B6%E8%B7%AF-%E4%B8%AD%E8%81%AF%E8%BE%A6%E6%94%AF-%E6%8C%81%E5%9F%B7%E6%B3%95

德文為主的知識分子、藝術家和建築師等，當中包括哲學家文德爾班（Wilhelm Windelband）、心理學家馮特（Wilhelm Wundt）和哲學家兼諾貝爾文學獎得主奧伊肯（Rudolf Christoph Eucken）發表〈九十三人宣言〉（Manifest der 93）支持德軍，把德軍肆意侵略粉飾為「保護」了魯汶大部分的古蹟，他們聲稱不能為了拯救一件藝術品而換來戰敗的惡果。這種邏輯跟警方何其相似，不昔破壞社會多年辛苦建立的大學，必須把示威者徹底擊潰。一年過去，警方和政府從沒有人為破壞大學問責，甚至連學者在電視節目討論警方攻入大學，也受到親政府勢力猛烈抨擊為「仇警」，製造輿論壓力要求大學辭退該學者。[11] 由此可見，暴政蔑視知識，鄙棄理性，任何理性思考或程序公義全部變得沒有意義，武力鎮壓是他們認為唯一合理合法的管治方式。在這種高壓氣氛下，知識分子要不就是沉默，免招殺身之禍，要不就為暴政辯護，以表效忠。

走向軍政府獨裁

譴責暴力很容易，相信大部分人都會贊同暴力對大家無好處。但是在「止暴制亂」的旗幟下，政府任由警察治港，大眾交

---

11 2020年4月你27日香港電台新聞〈鄧炳強去信教大校長張仁良　冀嚴肅跟進講師仇警言論〉https://news.rthk.hk/rthk/ch/component/k2/1523019-20200427.htm（編按：該連結已被下架，雅虎新聞轉載連結如下：https://tw.news.yahoo.com/%E9%84%A7%E7%82%B3%E5%BC%B7%E5%8E%BB%E4%BF%A1%E6%95%99%E5%A4%A7%E6%A0%A1%E9%95%B7%E5%BC%B5%E4%BB%81%E8%89%AF-%E5%86%80%E5%9A%B4%E8%82%85%E8%B7%9F%E9%80%B2%E8%AC%9B%E5%B8%AB%E4%BB%87%E8%AD%A6%E8%A8%80%E8%AB%96-101523941.html）

通提早停頓，把香港人的生活篩選到只剩上班下班和回家，一切商業、娛樂、文化藝術和教育等活動全部被視為不必要，這豈不反映了另一種軍政府獨裁的暴力？這種暴力細微之至，全面篩選我們的正常生活，任何有可能引致人群聚集表示政治訴求的活動，都被視為危險，政府「有權」中止。當一般人互相祝福「安全」，意味著任何地方也可能是危險的，警察的暴力可以出現在假日、街道、商場或學校。歷史經驗告訴我們，政府持續以軍警鎮壓民眾，並非單純為了社會和經濟穩定，更重要的是確立軍事獨裁成為常態。泰國人必會記起1973年短暫的民主勝利，但1976年民主面臨挫敗和獨裁回歸。1973年起，泰國發生大規模民主運動，由左翼學生帶動，要求憲政改革和民主選舉，美軍撤出泰國，更平等的經濟分配，最終民眾成功迫令獨裁者他儂（Thanom Kittikhachorn）下台和流亡，是為民主的勝利。然而，泰國左翼改革勢力和右翼保守勢力對立日趨激烈。在1976年，他儂返回泰國，民眾大規模抗議，佔領曼谷法政大學（Thammasat University），右翼政府乘機反撲，在10月6日清晨派遣軍人、武裝分子和暴徒等數千人圍堵大學，用手榴彈和步槍等致命武器血洗校園，虐打和性侵犯示威者，釀成四十六人死亡，多人受傷，超過三千人被捕，史稱法政大學屠殺事件。[12] 右翼分子手段之兇殘，一直是泰國民主化進程的重大傷口。事後，泰國政府為了平息社會騷動，

---

12 Thongchai Winichakul, *Moments of Silence: The Unforgetting of the October 6, 1976, Massacre in Bangkok* (Honolulu: University of Hawaii Press, 2020), 8-26.

一方面特赦大量被捕學生，另一方面則堅稱示威者為暴徒，打壓左翼學生運動，結果大量左翼青年繼續追求理想主義，避走森林建立自己的社區，泰國則重返軍事獨裁達十二年之久，直至1988年才全面民主化。自去年反修例運動以來，警方漸漸以集會引致暴力為由拒絕集會申請，甚至在獲得不反對通知書的集會期間（如2019年12月22日的愛丁堡集會）衝入人群裡肆意拘捕。如此視集會自由如無物，目的就是恫嚇市民不要參加集會，令人們習慣警察可以全盤控制社會生活。

警政取代政治

泰國軍政府獨裁的確馬上打壓了民眾反抗，而且令左翼力量從此大受打擊，但是代價極其沉重。著名的泰裔歷史學家通猜·威尼差恭（Thongchai Winichakul）認為1976年的大屠殺源於泰國社會左翼和右翼的對立激進化，政府沒有採取適當的手段調解，反而任由軍方濫用武力遏制示威者，導致整個社會嚴重撕裂，事後亦無公正調查，參與屠殺的軍人肆意掩飾其罪行，泰國王室在當中的責任亦無人追究。大屠殺成為往後二十年的社會禁忌，長久以來泰國人無法接受亦無法言說大屠殺的創傷，社會亦無法總結1973年至1976年間左翼爭取民主的路線的成果和遺產。換言之，暴力鎮壓不但扼殺了追求改革的青年的生存空間，同時剝奪了民主化所需要的社會理性辯論，各界人士探索不同路線的公共空間，軍事獨裁長遠而言只會令公民社會窒息。如果政府繼續任由警方獨裁，香港會由多元開放的社會，迅速倒退至警察國家。法

國政治學者拉米榭（Bernard Lamizet）界定「警察國家」（état policier）為警察權力不斷膨脹，越來越不受其他權力制衡，凌駕政府行政指令，不受司法系統制裁，逼使全社會服從。[13] 反修例運動以來，警方屢次不受政府制約，任意行使暴力的警察並無受到法律制裁，警察隊員佐級協會更「嚴厲譴責」政務司司長張建宗指警隊處理「721」事件欠佳。[14] 由此可見，香港成為了警察國家是不爭的事實。

　　也許從政府的角度來看，摧毀了一所大學，只要增加撥款，不久便可以復修。但是，當大學以安全為由持續停課，教師和學生都無法在正常的渠道來學習，大學無法舉辦各種學術文化的活動，以理性態度探討社會的重大爭議，整個社會都會損失珍貴的思考空間。更甚者，學者將會愈來愈擔憂學術活動觸碰到敏感話題，長遠而言大學會失去捍衛真理的精神。警方獨裁管治，視一切公共空間為其「執法」的場所，法律淪為其製造恐懼的工具，不再保障市民自由行動的空間。正如德希達說，無條件的大學並

---

13 Bernard Lamizet, "Les signes d'un état policier," in *Mediapart*, 1 Aug 2019. https://blogs.mediapart.fr/blamizet/blog/010819/les-signes-d-un-etat-policier

14 2019年7月28日明報〈警員佐會「嚴厲譴責」張建宗　被批妄定警隊對錯　張：將約晤澄清誤解〉https://news.mingpao.com/pns/%E8%A6%81%E8%81%9E/article/20190728/s00001/1564252980184/%E8%AD%A6%E5%93%A1%E4%BD%90%E6%9C%83%E3%80%8C%E5%9A%B4%E5%8E%B2%E8%AD%B4%E8%B2AC%E3%80%8D%E5%BC%B5%E5%BB%BA%E5%AE%97-%E8%A2%AB%E6%89%B9%E5%A6%84%E5%AE%9A%E8%AD%A6%E9%9A%8A%E5%B0%8D%E9%8C%AF-%E5%BC%B5-%E5%B0%87%E7%B4%84%E6%99%A4%E6%BE%84%E6%B8%85%E8%AA%A4%E8%A7%A3

不存在，大學總是受到各種條件的制約，如當權者的打壓或經濟活動的需要等。要守護大學，除了用肉身阻擋子彈之外，還需要極其嚴肅的態度，堅持講出真相，重建大學為異議的場所，偵察社會的問題，為黑暗的未來預警。德希達認為：「無條件的大學並不存在，事實上，我們非常清楚。但是，按其原則和依於它所宣稱的使命，通過它公開明示的本質，大學應維持做批判性抵抗的最終場所，較之於批判，更應反抗一切教條和不公正想佔有它（大學）的權力。」[15]

原刊於《星期日明報》2020 年 11 月 24 日

2020 年 11 月修改

---

15 Jacques Derrida, *L'Université sans condition*, Paris: Galilée, 2001, 14.

[3] 不服從的權利和倫理

　　去年掀動人心的反修例運動，從6月9日大遊行開始，721和831等日子，一年過去，仍然引起無數人紀念。如果沒有經歷過這一年的人，日後問起我們，為什麼這麼多人不認命，不願意服從政府企圖強硬通過的逃犯引渡條例法案？我們會如何回答呢？一種答案自然是回溯歷史，指出香港人對政府施政非常不滿，擔心香港的司法制度受到徹底侵蝕。但是，表達不滿不一定會走上街頭抗議，為什麼香港人經歷了2014年雨傘運動後的低潮，這一年裡許多人甘於冒上被捕的風險，堅持上街？這種不服從的精神意味著什麼呢？

不服從出自深思熟慮

　　法國哲學家弗雷德里克・格羅（Frédéric Gros）在2017年出版《不服從！倫理的反抗指南》（*Disobey! A Guide to Ethical Resistance*）[16]，提出一門政治的倫理學（ethics of politics），分析人們不服從法律或政府施政的倫理經驗。格羅認為，不服從並非不理性，久缺思考，任

---

16 本文最初參看法文版，現在英譯本已出版，故引用英譯本，以便讀者查閱。Frédéric Gros, *Désobeir*, Paris: Flammarion, 2017. Frédéric Gros, trans. David Fernbach, *Disobey! A Guide to Ethical Resistance*, London: Verso, 2020.

意推翻一切，而是反映了人們積極思考，意識到自己一直接受了的想法，過去原來是不假思索地遵守法律，因而決定拒絕再服從強加給他的東西。在不服從的經驗裡，人才意識到自己原來可以不依賴習慣或社會規範，可以決定自己的想法和行為，真正意識到原來可以把自己塑造成獨特的人。美國著名左翼歷史學家霍華德・津恩（Howard Zinn）曾說過：「公民不服從不是問題。我們的問題是公民服從。……我們的問題是全世界的人都在貧窮、饑荒、愚昧、戰爭和殘酷面前太過服從。」[17]很多人時常覺得不服從容易造成混亂、無秩序甚至暴力，但沒有看到服從其實也可以帶來很惡劣的後果，服從其實會令人盲目，令人漠視當權者釀成的大禍。在集中營裡倖存的義大利作家普利摩・李維（Primo Levi）就說過：「怪物的確存在，但他們數量太少，不足以構成真正危險。最危險的怪物是普通人，隨時準備好相信和服從而不討論的公務員或從業員。」[18]格羅主張，不服從不僅是表達政治立場的行動，而且有特定的倫理經驗支撐，是民主社會的基本權利。

從公民抗命到公民異議

一談到不服從，很多人自然會聯想到公民抗命（civil disobedience）的概念，這也是2014年雨傘運動期間很受認同的理念。公民抗命一般指「公開、非暴力、認真進行的政治行動，違反法律以

---

17 Gros, *Disobey! A Guide to Ethical Resistance*, 1.
18 同上。

致爭取法律或政府政策的改變。」在英美學界的討論裡，通常假設公民抗命的理論適用於接近公正的社會，也就是有法治和基本民主制度的社會。然而，假如目前的社會並沒有接近公正的法律制度和民主選舉，在威權甚至極權社會裡，公民抗命的概念是否仍然可以說明不服從的經驗，刻畫抗爭者的抗爭經驗？特別是在2019年的反修例運動裡，許多抗爭者蒙面，以非公開的途徑，阻礙公共交通和社會生活，甚至破壞支持政府的商店和公共設施，企圖表達被壓抑的聲音，干擾社會運作，逼使政府和大眾正視警察暴力和政府的野蠻行徑。這些反抗行為是否仍然可說是公民抗命，相信是一個疑問。有些學者如康迪絲‧戴瑪（Candice Delmas）主張，在政府持續地作出不公義的行為，剝奪人們的平等權利時，武力抗爭（uncivil disobedience）也是合乎道德的行為，也就是說，具破壞力的抗爭並不應該受到譴責，因為法律制度根本無法合理地保障人們的平等權利。[19] 有別於研究公民不服從的道德證成（moral justification），格羅主張我們應深入理解不服從的經驗的意義，不論社會是否公正，反抗的經驗都有同樣特質，抗爭者認為只有通過不服從的行動，他才真正表達了自己，此刻自己和更廣闊的社會連結在一起。與其提出普遍原則判斷武力抗爭屬於合理或不合理，格羅更看重在非暴力或武力抗爭裡，抗爭者都是出於對他人的責任感而行動，而不是單純出於個人的理性反思和抉

---

19 Candice Delmas, *A Duty to Resist: When Disobedience Should Be Uncivil*, Oxford: Oxford University Press, 2018.

擇。抗爭者承擔起公民的責任，抗拒社會施加給他們的規範，格羅稱之為公民異議（civic dissidence）的行動。由此來看，公民並非我們在社會中憑身分證就有的身分，也不是指奉公守法的「好市民」，更不是指「愛國愛港」凡事服從政府的順民，而是經過深思熟慮而提出異議，持續地質疑政治，才恰稱真正的公民。

極權下的公民抵抗

格羅的公民異議概念，事實上參考了另一位法國政治學者雅克·塞米林（Jacques Sémelin）的公民抵抗（civic resistance）概念，[20] 再加以改造。塞米林認為，在納粹德國統治期間，人民用各式各樣的方式和平抵抗，運用不合作的策略，既能保存性命，亦對當權者表達了反對和異議。例如在法國維琪政權下，法國人民派發傳單，呼籲與政權維持友好，在遵守法律之外，儘量不要過多地滿足他們統治的欲望。當丹麥成為德國的附庸後，丹麥人民散播傳單，呼籲人們「你們必須為德國人敷衍地做事，為德國人緩慢地工作，毀壞一切對德國人有用的工具，破壞所有對德國人有益的事物，減慢所有進入德國的交通，杯葛所有德國報章和電影，不去光顧德國店鋪。」[21] 當時，公開反抗隨時有性命之虞，於是公民抵抗就像演一齣戲，表面上維持最低度的服從，實際上時時刻刻顯露不服從的態度，以免當權者在人民過多的服從裡獲得更好的

---

20 Jacques Semelin, *Sans armes face à Hitler. La Résistance civile en Europe (1939–1943)*, Paris: Payot, 1989.

21 格羅引述塞米林，見 Gros, *Disobey! A Guide to Ethical Resistance*, 43.

管治效果。有別於公民抵抗，格羅進一步指出，公民異議可以是全盤推翻，徹底不妥協，連虛偽的戲也不願意再演，因而比最低度的服從有更深刻的倫理意義。格羅認為，最低度的服從仍然只是對自己說「不」，但對他人說「好」。與之相反，異議者（dissident）沒有辦法對他人再說「好」，而是體會到不可能再服從，必須與原本服從的東西決裂，不介意顯示自己跟社會規範之間的差異。格羅指出，「異議者不再繼續保持沉默，假裝他們不知道或看不到」。不服從反映了人必須直面不接受的事情，不再假裝看不到，意識到現在與難以認同的價值共處，因此公民異議反映了人類內心有著難以承受的重量，「標誌了主體作為人類的痕跡，人類就是有價值、要求和張力。」[22] 也就是說，異議者走上街頭是因為他們內心有著極大的不安，帶著沉重的憤怒和矛盾反抗，可以是單純無法接受政府處理逃犯引渡條例的方式、不滿警察暴力、年青人的悲情或某個政府官員的言論等，但不一定清晰地知道「違法達義」的法治理念，不一定知道所謂最「適當」或「有效」的反抗方式是什麼。格羅之所以強調異議者內心的張力，是要突出在旁觀看的人，看似理性客觀，但可能沒有真正感受到這種不可再接受下去、不得不立即反抗的經驗。

公民異議的無限責任

按公民抗命的理論，抗爭者願意面對檢控，承受刑責，以突

---

22 同上，143.

出其動機的公義和當權者的不義。在 2019 年的反修例運動裡，抗爭者很多時候遇到警察會逃走，儘量避免被捕，因而常被批評為不負責任。然而，異議者傾向避免被捕，並不是因為他們貪圖僥倖或個人享受。如果他們從頭到尾都只是為個人利益，根本就不會進行抗爭。從格羅的觀點來看，我們更應該注意，抗爭者並非只看到其所作所為會為自己帶來效益，而是體會到一種很深的責任感，為了令抗爭持續，為了讓其他人可以更安全地撤退，甚至為他人的苦難和自己的無能為力而負責，格羅稱之為無限的責任感。這份責任感有四個方面。第一，異議者承擔其行動本身的責任，不服從可能牽涉非法的行為，自己可能犯下錯誤等。第二，異議者願意承擔行動帶來的不確定性甚至危險的後果，並把難以預測的後果賦予一定的意義。正如愛比克泰德（Epictetus）所說：「『如此突然而來的不幸降臨在我身上。』一個沒有準備的人會如此說。而一個明智的人會說：『我在這裡已經準備好，我必須讓自己足以處理任何發生在我身上的事情。』」[23] 正如東歐 1989 年變天之前的異議者，準備好隨時面臨拘捕和檢控，即使他們選擇逃亡，也寧願終身將帶著逃亡者的身分，不願留在東歐接受不公正的審訊。也就是說，沒錯，逃離警察的追捕是非法的，但這是為了避免落入非法的警察暴力和不公正的審訊。第三，異議者承擔起無窮的責任。在這一年的運動裡，大概勇武派最能體現這種無窮的責任。他們會為遊行安排路線，搬運路障以保護遊行人士不

---

[23] 格羅引述愛比克泰德，見 Gros, *Disobey! A Guide to Ethical Resistance*, 167.

會被警察馬上衝前拘捕，延長遊行的時間，擴大抗爭的區域，亦會引領參與者在遊行完結後儘快疏散，甚至「拯救」險些被拘捕的「手足」。所謂「和勇不分」，不僅反映了不同政治路線的團結，更是一種深刻的倫理經驗，如格羅所寫：「面對他人的脆弱和貧乏，我感到有責任。我的力量和優越地位，開啟了對他人的無窮的責任。」[24]第四，異議者感到對世界有責任。社會不公義是由社會制度造成的，由當權者和人民過於服從而維持的，雖然不是由異議者造成的，但他們覺得假如不反抗就成了同謀，必須要承擔起改變不公義的責任，去想像社會如何可以變得更公義，甚至支持世界上其他地方的異議者。格羅認為，「作為一個知識分子、藝術家和作家，但更根本地要嚴肅地看待自己作為人的工作和使命的話，就意味著要奉獻自己，甚至去抗爭和表達立場。中立也是一種選擇，等於被動的同謀。」[25]

政治行動的倫理經驗

格羅主張，政治行動並非只表達個人的政治立場，亦不只是由個人的道德反省所驅使，而是連繫著超越個人的倫理經驗，出於對他人對社會不公義的責任感。即使和理非和勇武派有不同的行動取向，兩者都有強烈的責任感支撐其不服從的態度。杜斯妥也夫斯基（Fyodor Dostoevsky）曾這樣刻畫這份超越個人的責任感：

---

24 同上，163.
25 同上，164.

「對一切事情,在每個人之前,我們所有人都有責任,而且我比他人有更大的責任。」有些人或許會批評勇武派的行為容易釀成暴力,但很多時候沒有仔細分析其武力行動與責任感的關係。破壞公共設施很難不說是暴力,但是這種暴力同時表達對政府限制遊行權利和言論自由的不滿,社會失去權利和自由的代價,屬於所有人的損失,經濟利益和社會核心價值受破壞,值得整個社會面視,並不是單純指責勇武派「搞事」就可以遮掩政府的野蠻。格羅的理論並不只是適用於支持抗爭,批評抗爭的人們同樣應該反省自己做了什麼來承擔起對社會不公義的責任感?主張與政府溝通的人們,值得反省溝通是否已經在暴政下失效?頑固地主張和平表達訴求的人們,不容一絲暴力玷汙異議者的聲音有否漠視了「過度服從」遮蓋且延續了社會的不公義?強調凡事理性溝通,有否壓抑了選擇不服從的人們的真實個性,助長了「過度服從」,反而培養出了因循和缺乏反思(thoughtless)?

原刊於《星期日明報》2020 年 8 月 31 日
2020 年 11 月修改

[4] 極權主義與責任

　　前中共中央黨校教授蔡霞因批評國家主席習近平開歷史倒車，2018 年時反對修憲取消國家主席連任限制，2019 年遷往美國，今年又表態反對制定《港區國安法》，因為她認為中國的政體由威權主義倒退至極權主義，運用最新的數碼科技，全方位地監控人民。[26] 值得思考的是，今天中國的極權主義跟昔日有什麼分別？20 世紀探討極權主義最重要的理論家之一，漢娜・鄂蘭的理論有什麼值得我們借鏡？

極權主義的回歸

　　鄂蘭的經典作品《極權主義的起源》(*The Origins of Totalitarianism*) 中談的極權主義，並非指任何時代的獨裁或極權政體，而是僅僅以 1933-1945 年的納粹德國和 1922-1953 年的史達林領導下的蘇維埃政權為模型。鄂蘭認為，雖然這兩個歷史上的極權政體相繼消失了，但是極權的統治方式可以被其他政體學習。鄂蘭指出：「極權的解決方案可以在極權政體崩潰後繼續生還，任何時刻當國家發現不可能以人性的方法減輕政治、社會或經濟慘況時，極權的

---

26 2020 年 9 月 19 日自由亞洲電台，〈中國社會：從威權時代到精緻新極權時代〉。

解決方案就會變成強大的誘惑，再次出現。」27

那麼，極權解決問題的方案是怎樣的呢？這是一個值得深入分析的問題，在有限的空間裡，我們可以注意以下三點。

極權主義是單聲道

第一，極權主義（totalitarianism）和威權主義（authoritarianism）不同，後者仍然容許「有限度的多元主義」（limited pluralism）28，而極權主義就是要全方位控制，扼殺「有限度的多元主義」。威權政體尚會容許一些反對派參與政治，媒體自由，公民社會自由發展。反之，極權主義則要在政治、社會、經濟和思想上全面控制。2019年大規模拘捕反修例運動示威者，令香港變成警察國家。2020年的國安法就要把公民社會全面控制，大規模取消新冒起的反對派民意領袖的候選人資格，延後選舉，取消現任立法會議員資格，拘捕參與「國際線」的年青人，檢控為示威者籌款的電台節目主持人，「跟進」建制派對勇於批評政府的教師的投訴，務求威嚇公民社會，把在野的反對派一網打盡。近日，政府積極修改高中通識科，加入愛國教育元素，就是要控制下一代的思想，使教師「政治中立」，不敢公開批評政府。當政府越來越嘗試全方位控制人民，儘可能消滅一切反對派，把多聲道的公民社會變成單聲道，就越來越接近極權主義。

---

27 Hannah Arendt, *The Origins of Totalitarianism*, New York: Schocken Books, 2004, 592.

28 Juan J. Linz, *Totalitarian and Authoritarian Regimes*, London: Lynne Rienner Publishers, 2000, 170.

意識形態的獨裁

第二，鄂蘭認為歷史上的極權主義不是一個國家那麼簡單，而是一場為實現意識形態而展開的運動。一個正常的國家，必會考慮其穩定，例如建立法律和制度，令國家運作順暢，甚至舉行有限度的選舉，以便國家得到人民支持而穩定延續下去。但是，極權主義卻不是為了穩定，而是要維護一種意識形態，視其推行的政策為落實特定的意識形態。納粹德國的意識形態是國家應由優等種族（Herrenrasse）統治，北歐人種或雅利安人就是優等種族，應該統治；斯拉夫人、非洲人和猶太人等則屬低等種族，應被統治。希特勒宣揚陰謀論，借偽造的《錫安長老會紀要》（*The Protocols of the Elders of Zion*）來散播猶太人企圖顛覆歐洲各國政權，宰制全球的思想。因此，種族歧視和滅絕被合理化，向外侵略被說成國家所需的生存策略。蘇維埃的意識形態就是共產黨執政逐步實現社會主義，所有推動社會主義的政策都是合理的。史達林在1926年宣佈，共產黨實施無產階級專政（dictatorship of proletariat），也就是管治全國家。換言之，布爾什維克黨由原本主張工人組成議會自治，變成由共產黨管治人民。史達林在黨內肅清異己，在全社會清除無產階級的敵人，在全國各地設置勞改營（Gulag），據統計超過兩百五十萬人被關押和強逼勞動。[29]

鄂蘭指出，納粹德國和蘇維埃的意識形態不同，但相同之

---

29 Bernard Bruneteau, *Les totalitarismes*, Paris: Armand Colin 2014, 284-285.

處在於其統治形式，不斷界定某些人是國家的敵人，繼而將之消滅。極權主義作為運動，不斷推動國家訂立新的法例去實現官方的意識形態，主宰國家的不是當權者，而是意識形態的邏輯本身。官方意識形態是確實無疑的，即使經驗上引起巨大反差，問題只是目前尚未完全實現意識形態，而不是意識形態本身有錯。因此，意識形態令當權者和支持者完全隔絕於世界的經驗。今天中國盲目的愛國主義和民族主義，要求國民公開表態愛國，視批評者為國家的「敵人」，描繪西方國家釀成中國百年屈辱，一直阻礙中國在國際社會崛起，意圖干預中國內政，由此合理化國家一切內政和外交，拒絕客觀的政策研究，無視國際社會反應，可謂越來越接近與實際經驗割裂的極權意識形態。

全天候監控的恐怖

第三，極權主義實行恐怖統治。極權主義用祕密警察和軍事化組織任意拘捕人民，置全民於嚴密監視之下，今天中國的社會信用系統借用最新科技，以國家安全之名，全面控制人民的思想和行為。鄂蘭在上個世紀中已經看到全面監控的統治方式：「這個龐大的國家裡每一個居民，警察都有其祕密檔案，仔細列出人們之間眾多的關係，由偶然認識的朋友到好朋友到家庭關係，這純粹為了發現這些關係令被告人可被密切盤問，使他們的『罪行』可以在拘捕前被『客觀地』確立。」[30]極權把人民當中的「敵人」

---

30 Arendt, *The Origins of Totalitarianism*, 560.

一步步地變成階下囚，有三個步驟。首先任意拘捕和祕密關押，無人知道其下落，從而剝奪其司法上的身分。其次，製造同謀關係，令人們變成既是加害人，又是受害人，所有人因而都是同謀，從而令人良知難以適當運作，以剝奪其道德人格。例如，當一個警察被上司要求非法虐待示威者時，他施暴自然是加害者，但他同時是受害者，因為倘若他不遵從上司命令，就有可能受同儕排擠，甚至被他們施暴。當人處於被逼的情況下，良知並不能作出理性的判斷。最後，被捕者在不為人知的集中營被集體殺害，沒有紀錄，也沒有墳墓，就在社會中被遺忘，等於剝奪人之為人的獨特性。由此來看，極權主義不僅侵害人的基本權利，而是更根本地剝奪人在世界中的位置，被捕者失去被他人看見和聽見的位置，等於失去屬於一個政治社群的資格。鄂蘭指出，人類享有基本權利，必先屬於一個政治社群，要保障人權，就要保障所有被排除於社群外的人都屬於社群的權利。今天新疆大約有一百萬人被關押在「再教育營」裡，部分人被強制絕育，有人權團體指這無異於種族滅絕（genocide）[31]，這些人跟鄂蘭所說恐怖統治有多遠的距離？

開拓政治空間

極權主義系統性地剝奪人之為人的獨特性，因此，人的責任

---

31 BBC, 29 Jun 2020, China forcing birth control on Uighurs to suppress population, report says https://www.bbc.com/news/world-asia-china-53220713

就是要勉力維持其獨特性，共同建立屬於眾人的政治社群。趁極權主義尚未登陸，香港仍然有若干自由的空間，在此時刻，最重要的是持續開拓行動的空間。鄂蘭認為，政治的存在理據（raison d'être）就是自由，政治不是制度保障的權力和權利，而是通過人與人的攜手行動，創造平等的政治社群，公開地展現集體的權力，逼使當權者改變。在我看來，鄂蘭並沒有把政治浪漫化為純粹呈現自己（appear）的行動，不求結果但求過程。而且的確，鄂蘭認為公共領域是言論和行動的場所，但更重要的是，我們必須通過對抗封閉的私人領域，抗拒對公開表態的恐懼，才能開拓出真正的公共領域。資本主義意圖把所有空間和公共事務，收窄為個人關注或私人公司的業務，但是政治行動就是要把社會經濟事務重新開放成公眾辯論的焦點，在此過程中每個人據理力爭，與社會上各種勢力角力。政治行動，亦難免要與國家體制角力，抗拒國家規定人民應有的位置，拒絕做「順民」。去年起，黃色經濟圈的成立，就反映了集體努力把經濟變成政治，把消費捲入政治表態，以期逼使更多人面對社會的爭論。去年區議會民主派的歷史性大勝，甚至把許多公共事務引入區議會討論，反映了人們集體努力開拓新的政治空間。可是，當權者必會再度把這些政治空間封閉，我們的責任就是持續地與之抗衡。只有政治行動可以為歷史帶來新的可能性，面對新的挫敗，不斷製造更多的驚喜。

政治沒有服從

如果有一天，極權主義到來，完全扼殺人們的行動空間時，

我們還有思想和判斷的能力。鄂蘭看到，納粹德國期間，社會的道德觀一夜間崩塌，大多數人不質疑納粹的行徑，保持沉默，甚至主動參與其中。這時候，那些不參與在其中的人就顯得特別可敬。鄂蘭說：「那些袖手旁觀者（nonparticipants），大多數人稱之為不負責任，但其實是唯一敢於自己判斷的人。」[32] 他們不是固守原來的規範，對新出現的處境都早有判斷，而是依於每個獨特的情景，作出獨立的判斷。當我們看到香港的法治崩壞時，我們就不應再抱著昔日對法律制度事事信任的態度，反而應該靈活地探取各種方法來抗衡當權者的打壓。鄂蘭主張，我們要時刻做個「懷疑者」（skeptic）[33]，不僅懷疑當權者的政策，同時懷疑主流對抗極權的方法，保持自己與自己對話的能力，時刻問自己能否接受這樣或那樣做，這份獨立的思想和判斷力是極權最想努力奪去，但最難奪去的。隨著民主派被踢出議會，鎂光燈下的政治會變得更為膚淺和無聊，缺乏有意義的辯論，對價值的堅持，可以想像當權者就是要我們接受從政者只能做花瓶，令有理想的年青人望而生厭，從而遠離政治。故此，建立於自己判斷之上，鄂蘭更進一步提醒我們不要帶有潔癖，以為自己置身事外，就必定可以保持純潔，與極權廝磨也體現出一份對公共世界的責任。「如果你不去拒絕邪惡，惡人就會為所欲為。雖然對抗邪惡很有可能會牽涉在邪惡裡面，但是，在政治裡，你對世界的關注應該比對自己的關

---

32 Hannah Arendt, "Personal responsibility under dictatorship" (1964), in *Responsibility and Judgment*, ed. Jerome Kohn, New York: Schocken Books, 2003, 44.

33 同上，45.

注更為優先。」[34]

　　或許大家會疑惑鄂蘭總是主張人能保持思想和判斷力，是太樂觀了嗎？普利摩・李維曾被關在奧許維茲集中營裡，六百多人進去，最後只剩下二十多個人活著出來，他是其中一個倖存者。他在營中經歷慘無人道的虐待，每天目睹幫助別人，和他人分享自己有限糧食的人，也就是最有道德的人一一死去，人還可以做什麼呢？

　　「正因集中營是用來讓我們淪為野獸的機器，我們絕不應淪為野獸；即使在這樣的地方，人也能存活，因此，必須保有存活的意願，我們得出去，向世人訴說我們的遭遇，作為見證；而為了活下去，很重要的是，至少要保住這副軀殼，這身形骸，這個代表文明的形體。我們是奴隸，被剝奪了所有的權利，暴露在各種凌辱下，幾乎可說死路一條，但我們仍保有一份能力，而我們必須竭盡所能地捍衛它，因為那是我們所剩的唯一一項能力：拒絕同意的能力。」[35]

寫於 2020 年 11 月

34　Hannah Arendt, *Lectures on Kant's Political Philosophy*, ed. Ronald Beiner, Chicago: University of Chicago Press, 1982, 50.

35　普利摩・李維（Primo Levi）著，吳若楠譯，《如果這是一個人》，台北：啟明出版，2019。頁 79-80。

[5] 知識人在哪裡：
讀沙特《為知識人辯護》

　　2021 年我們見證了民主派人士以各種莫須有「罪名」被監禁，各家針砭時弊的媒體被逼結束營運，向來敢於批判社會的大學學者相繼被迫離開大學，昔日積極推動社會運動的大學學生會不再受到大學承認和支持，電台電視和網上評論人相繼「消音」，過去公共輿論空間裡批評政府的意見日漸消失，政府想營造一個馴服的社會計畫逐漸成功。香港不僅被扼殺了公共空間，香港人同時不再被允許成為「知識人」，運用知識來批判和改造社會。從哲學的角度看，值得探討的是逐漸消失的知識人的身分意味著什麼？「知識人」翻譯英文 intellectual 或法文 intellectuel，是西方文化的珍貴傳統。[36] 讓我們在本文談談不同哲學家對知識人的看法，從而了解知識人在社會扮演了什麼角色。

讀書人應對抗國族主義

　　法國哲學家班達（Julien Benda）在 1927 年《讀書人的背叛》（*La Trahison des clercs*）裡，針對歐洲知識界、文化界普遍追捧國族主義，

---

36 「知識人」一詞出自余英時，詳見《知識人與中國文化》臺北：時報，2007。

希望自己的國家強大，不受外侮，加以嚴詞批駁。[37]班達主張讀書人應有一種自覺的責任，追求「靜態」（statique）、「沒有利益關係的」（désintéressé）和「理性」（rationnel）的價值。「靜態」指抽象恆久不變的價值，不會因一時一地特殊情景而改變。例如今天聲稱為了國家和平，支持以統一為名義侵略某個國家，明天又聲稱為了國家富強進一步支持對抗西方某大國，後天又支持盟友入侵一個小國，這裡和平與國家富強的涵義隨著不同處境而不斷改變，國家富強可以包括侵略、擴張或主張戰爭等涵義，因而不是恆久不變的價值。「沒有利益關係的」價值指公義、自由、真理和理性等不達致任何實用目的的價值，追求這些價值不會為某人或某個群體帶來特定的利益。追求公義並不是為了達到某些效益，而是捍衛人之為人不可剝奪之特性（l'inviolabilité de la personne humaine），追求自由亦一樣，跟任何經濟效益無關。「理性」的價值引導理性思考的價值而不是訴諸感情，諸如熱忱（enthousiasme）、激情（passion）或對人類之愛（amour humain）等感情旨在激發人們的同情共感，而不在於促使人們理性分析。試想不少政治家鼓吹愛國，聲稱自己的國家文化比其他國家更偉大，因而主張國民應該熱愛自己的文化，甚至為國家而犧牲，背後都不是要鼓勵理性思考，批判檢討自己的國家文化的好處或壞點。雖然班達的觀點具有濃厚的斯賓諾莎理性主義的色彩，核心主張卻不難懂，讀書人放棄「靜態」、「沒有利益關係的」和「理性」的價值，就等於

---

37 Julien Benda, *La trahison de clercs*, Paris: Grasset, 2003.

背叛其天職，背叛了社會對讀書人的期許，最終無力捍衛人類文化的價值，班達提倡的理性主義恰恰要對付日益高漲的國族主義激情。

沙特的知識人是反抗者

第二次世界大戰後，歐洲知識界不僅認真反省國族主義的流弊，更開始認識到歐洲在國際局勢上日益衰弱，昔日對殖民地的殘暴統治開始反撲，一波又一波的解殖運動湧現。戰後法國知識界出現一股新的批判思潮，跟推崇讀書人責任的天主教傳統斷裂，沙特代表了新一代的哲學家，反省讀書人的身分，對讀書人往往支撐了當權者壓迫低下層和殖民地有更深刻的警惕。

如果班達的分析比較像讀書人對自己的期許，沙特的觀點則屬於走進被壓迫者當中，旗幟鮮明地反抗當權者。在1966年10月，紅遍法國的哲學家和作家沙特和波娃一同獲邀在東京和京都演講。沙特第一場演講以〈何謂知識人？〉為題，座無虛席。根據記載，在東京的慶應義塾大學（Keio University）的演講廳，八百個位置早已坐滿，另外十二間配有電視直播的演講廳約六千個座位亦全部爆滿。[38]沙特在日本的三場演講後來結集成書《為知識人辯護》（*Plaidoyer pour les intellectuels*），對知識人在當代的地位提出獨特的觀察。

---

38 Jean-Paul Sartre, *Plaidoyer pour les intellectuels*, Paris: Gallimard, 2020. Préface par Gérard Noiriel, 13.

知識人介入無關於己之事

首先，沙特認為知識人有別於讀書人（clerc）或學者（savant），「會參與跟自己無關的事，會挑戰一切習以為常的真理和行為。」[39] 據此觀點，研究核武器而取得傑出成就但不敢批評某個國家發動核子戰爭的人，只是學者，而不是知識人。當一個學者敢於運用其專業知識以外的原則或價值，對其專業問題作出政治判斷，甚至不惜挑戰當權者，就成了一個知識人。

沙特強調知識人不是有知識的人，而是對其獲得知識的體制有所省覺和作出反抗的人。班達並不關注讀書人可以獲得知識的條件，沙特則更著重知識人身處的體制本身充滿不公正。過去的知識分子受命於皇室貴族或教會，或多或少聽命於當權者，與當權者共謀，維持對下層人民和殖民地的統治而不加反省。當權者可以篩選哪些人成為讀書人，或者需要多少讀書人。法國歷史悠久的菁英教育體制，就是社會階級的複製場所。例如沙特本身就讀的高等師範學院（École normale supérieure），學生獲得政府獎學金，可以專心學業，升學就業得到保障。但工人家庭出生的學生，就多數沒有機會進入菁英學校，也就因而較少機會成為讀書人。家境良好的學生順利晉升教師、律師、銀行家或政治家等社會統治階層，成為有知識的人。如果他們享受著中產階級的安穩生活，覺得一切都很合理，沒有反省社會體制如何讓他們「成功」，體

---

39 Sartre, *Plaidoyer pour les intellectuels*, 42.

制如何令其他低下層的人傾向持續留在低下層，也就不會批判體制的不公平，因而不會自然地變成知識人。

知識人活在社會衝突當中

第二，知識人之所以會參與跟自己無關的事，因為他們明白到當權者會運用他們來統治社會，從而醒覺到可以自由地抉擇運用其知識和地位來批判當權者營造出來的主流意見。沙特認為知識人體會到其人生充滿張力，「知識人因而是這樣的人：在其身上和社會裡，意識到追求實踐的真理（及其包涵的所有規範）與主流意識形態兩者之間的對立（及其傳統價值系統）。」[40] 也就是說，知識人明白到自己的自由與政府、資本主義和傳統道德等主流價值觀對立，這也等於揭示了「社會的根本矛盾」或「階級之間的衝突」。雖然沙特受毛澤東思想影響，先後支持法國共產黨和無產階級左翼（Gauche prolétarienne），在 1970 年起成為《人民的利益》報刊主編，又在巴黎西面的布洛涅－比揚古（Boulogne-Billancourt）雷諾（Renault）工廠發表演說，呼籲工人自我組織，反抗資本家的壓迫。但是，沙特並不主張知識分子必須為某一個黨或某一種主義的教條服務，反而他強調人應運用自由去發現社會不公，抗拒和當權者同流合汙，否則不僅不能成為知識人，而且只是任由當權者操控的對象。

---

40 Ibid., 69.

知識人不倚仗權力

　　第三，當知識人行使自由反抗時，就不再是協助當權者統治的知識技術員（technicien du savoir），而是無所倚靠、不受任何人委託，也不沒有任何權力，甚至可說是「最無助的人」[41]，在這種處境下，知識人仍然堅持通過行動來改變社會。傳統的讀書人倚賴統治階層給予他們權力、財富和地位，但知識人挑戰統治階層，隨時會面臨權力對其懲罰或報復。知識人跟政黨不同，不代表任何一個群體或階級，所以不受任何人委託，亦不需聽命於任何人。傳統以來所謂讀書人代表社會的良心，守衛著社會的道德，這種想法沙特完全不接受。沙特強調，知識人並沒有過人的能力或更純潔的道德，他們需要跳出自己的專業環境，了解社會的不公義，需要「置身於社會空間裡，把握和摧毀意識形態在其身上和之外為知識畫下的限制。」[42] 一般人可能期望讀書人為人權、種族平等、性別平等價值大聲疾呼就已足夠，但沙特更強調知識人必須改變自己，把知識送出其專業範圍外，以行動改變社會。他認為知識人對抗社會不公的時候，同時要對抗自己不自覺的偏見，他因而提醒我們：「從人類學的知識抽取出普遍的理據來對抗種族主義並不足夠，種族主義是常見的一種具體態度，所以人們可以誠懇地支持反種族主義的普遍論述，但在其孩童時期以來

41　Ibid., 73.

42　Ibid., 75.

的生命深處，仍然維持著種族主義的態度，在日常生活裡一直表現為種族主義者而不自知。」[43]

　　毫無疑問，香港已變成威權主義的社會，知識人被封殺，要成為知識人將要面臨更大的危險。但是，威權並不能完全決定香港人會變成什麼模樣。沙特主張「人並不存在」（l'homme n'existe pas），我們應該把人看成是有可塑性的，可以用自由的行動來改變人的狀態（l'homme comme à faire）。[44]知識人代表一種要求，要求自己對抗一切權力（se faire contre tout pouvoir），即使在最微少的地方，也不放棄作出改變。[45]

寫於 2022 年 1 月

43　Ibid., 76.

44　Ibid., 77.

45　Ibid., 101.

$\left[\,6\,\right]$ 如何活在虛偽之中：
哈維爾的戲劇《會面》

「當啤酒廠忙起來的時候，活著就很輕鬆。」[46]

1968年8月，蘇聯指揮華沙公約國的軍隊駛進布拉格，捷克總書記亞歷山大·杜布切克（Alexander Dubček）被捕，象徵著杜布切克開啟的放鬆報禁、黨禁，容許言論自由等布拉格之春被鎮壓終結。捷克年青人上街抗議蘇聯入侵，查理大學學生揚·帕拉赫（Jan Palach）在市中心的廣場激憤自焚，呼籲捷克人反抗。蘇聯強權之下，捷克無數人被捕，超過三十萬黨員不願悔過，被驅逐出捷克共產黨。[47]社會由短暫開放瞬間變得封閉，政府加強對人民的監控，遏制一切反對聲音，文化藝術氣氛自然更加窒息。一向不滿共產黨高壓統治的哈維爾（Václav Havel），為了逃避警察嚴密監控和壓抑的文化氛圍，決定離開布拉格搬到東北百多公里外的小鎮維爾切採（Hrádeček）。接著，哈維爾一方面到特魯特諾夫（Trutnov）的啤酒廠工作，另一方面在遠離人群和政治風暴的地方，為自己的戲劇藝術尋找新的突破。當時，由於捷克人普遍

---

46 Václav Havel, "Audience," in *The Vaněk Plays*, trans. Jan Novák, New York: Theater 61 Press, 2012, 19.

47 Michael Žantovský, *Havel: A Life*, New York: Grove Press, 2015, 128.

害怕開罪當權者，影響就業和生計，於是對當權者唯唯諾諾，表面上服從政府，實質上虛偽應對，敷衍「效忠」。《會面》（Audience）就是在這個政治高壓和社會鬱悶的氣氛裡寫成。

活在虛偽當中的藝術

比起之前受歡迎的戲劇如《花園宴會》（The Garden Party）和《通知書》（The Memorandum），1975年的《會面》只是個篇幅短少的獨幕劇，敍事和情節簡單得多，人物亦只有兩個。[48] 但是《會面》繼承了之前作品的主題，整部戲通過 V 先生（Vaněk）和釀酒大師（Brewmaster）[49] 在啤酒廠裡的對話，揭露了後極權主義如何扭曲人與人之間的關係，探討人們如何在虛偽之中尋找生存空間。在〈無權勢者的力量〉中，哈維爾認為「後極權主義」（post-totalitarianism）有別於1930和1940年代歐洲的極權主義，也有別於一般的獨裁統治（dictatorship），因為「後極權主義觸及人民生活的每個環節，而它是用意識形態的手套來進行。這是為什麼生活在此制度裡完全被虛偽和謊言滲透……。」[50] 但事實上，後極權主義的體系違反人性，人們向來渴望多元的生活方式，運用自由來實現各自的目標，創造各種可能性，反之「後極權主義要求服從、一致性

---

48 哈維爾劇作的中譯本參看，耿一偉、林學紀譯，《哈維爾戲劇選》，台北：書林，2004。

49 Brewmaster 亦可譯成啤酒廠老闆。

50 Václav Havel, "The Power of the Powerless: In memory of Jan Patočka," in *Living in Truth*, ed. Jan Vladislav, London: Faber and Faber, 1990, 36-122. 羅永生譯，《無權勢者的力量》，香港：蜂鳥，2021。Havel, "The Power of the Powerless," 44.

和紀律」。[51] 哈維爾提出突破後極權主義籠裡的態度是「活在真實之中」（live within the truth）[52]，不論是普通商販小市民、音樂家、藝術家或知識分子，只要認清眼前各式各樣虛偽的「真實」（reality），政治宣傳只為規訓人民的服從態度，掩飾當權者醜陋的意圖，人民陽奉陰違的行為只為了保存自己免找麻煩，並非心悅誠服，再進而勇敢地用各種方式表現自己「真實」的想法（truth），就可以動搖後極權主義看似牢不可破的統治基礎。細心的讀者會發現，在〈無權勢者的力量〉發表以前的劇作裡，即使哈維爾還未用上後極權主義一詞，就已經不斷通過劇場創作探討如何面對虛偽的生活。

後極權主義阻礙人類溝通

首先，《會面》這齣劇通過冗長、無意義、重重覆覆以至沉悶的對話，表現出後極權主義裡，人為了保障自身安全，害怕別人會知道自己的真實想法，從而向上級或祕密警察「打小報告」，因此在人際交往裡不斷通過談及無關痛癢的話題，一方面維持表面的友善，另一方面掩飾自己內心的真實想法。觀眾看這齣劇的時候，很長一段時間看到釀酒大師不斷叫V先生喝酒，不斷提問，拋出新話題，問起他有沒有結婚，問起V先生以前的編劇工作，卻不是想深入了解，問起他是否認識當時正紅的女演員波達

---

51 Ibid.
52 Ibid., 56.

洛娃（Bohdalová），問起他是否認識啤酒廠的同事，提點他要小心和他們相處，但雙方都沒有意欲吐露心裡的真實想法。然而，釀酒大師三番兩次說：「好的團隊可以令一切都成功」，卻提點Ｖ先生「讓我告訴你，今時今日每個人都害怕被抓到把柄。」[53] 釀酒大師自己以前也曾被無故陷害，失去升遷機會，因而脫口而出：「我不相信任何人，他們都是混蛋……」[54] 哈維爾想突出後極權主義的荒謬情景，如果大家都怕被人在背後陷害，要處處提防，又怎能互相信任組成一個好的團隊？

監控造成道德兩難

其次，這齣劇諷刺後極權主義裡當權者表裡不一，一方面有聲稱憲法保障市民有自由，但實質上卻不斷派人暗中監視和調查有嫌疑威脅到政權的人。釀酒大師和Ｖ先生熟絡後，叫Ｖ先生不要再見他的朋友柯胡特（Kohout）。觀眾聽到或不明所以，但到劇後段，釀酒大師終於說出，當權者派來監視Ｖ先生的人馬舍克（Tonda Mašek）恰好是他的舊同學，[55] 而馬舍克要求他報告Ｖ先生最近做了什麼，卻令他感到為難，因為他根本對Ｖ先生一無所知，因而只能報告一些無關痛癢的事，例如在工廠和誰人待過在一起，家裡的暖爐找人維修過等等。[56] 全劇的高潮在於把現實中當

53　Havel, "Audience," 34-35.

54　Ibid., 46.

55　Ibid., 61.

56　Ibid., 76.

權者監視人民的現象，虛構成徹底荒謬的處境，釀酒大師想請求 V 先生每星期寫下一些他自己做過的事，使釀酒大師可以拿來向馬舍克報告，[57] 此舉等同由政府肆意截取人民的個人資料，變成由人民主動提供情報給政府，甚至可以杜撰內容給政府。如此荒謬的處境一方面表示後極權主義的監控最終要人民主動配合，才可運作暢順。設想假如馬舍克不盡責地監視或杜撰資料，當權者就無法取得可靠情報。另一方面也反映出後極權主義的監控無處不在，監控的內容根本毫無意義，無助於維持「國家安全」，其真正目的可能是通過使監控成為常態，使人逐漸習慣政府威權高於個人隱私權，只要當權者推動任何政策，人民都必須配合，並無所謂政府應尊重個人權利這回事。

哈維爾進一步把監控系統的荒謬推向極致，表現後極權主義逼使每一個人都陷入考慮應否自我審查的道德兩難。當釀酒大師向 V 先生提出請求後，V 先生斷然拒絕，他說：「我不能主動告發自己。」「這實在是個原則問題！原則上，我絕不能參與其中⋯⋯。」[58] V 先生這樣反應後，釀酒大師幾乎歇斯底里。他憤怒地向 V 先生大喝：「如果我成了混蛋，就沒問題。我可以在這個屎堆裡打滾，因為我毫不重要，我除了是一個啤酒廠的鄉巴佬，什麼都不是。但這個貴賓就不能參與其中！如果我沾到屎就沒問題，這個貴賓就要乾乾淨淨。這個貴賓就只關心原則，但就完全

---

57 Ibid., 77.

58 Ibid., 79.

不會考慮他人。只要他出來像玫瑰那樣清香，原則比任何人對他更為重要，你們全都是這樣的 。」[59]釀酒大師的控訴，固然出於不滿Ｖ先生關心道德原則多於眼前這個關心他的啤酒廠主管，但他的不滿更深層的原因是監控系統逼使他跌入道德兩難，要嘛就尊重Ｖ先生的意願，不協助老同學馬舍克執行監控職務，但就使馬舍克有麻煩，自己亦可能得罪當權者，要嘛就委屈Ｖ先生去協助，大家互相幫助，但就等於要更多人主動配合監控系統。哈維爾通過釀酒大師指控Ｖ先生，同時指控「知識分子」以為堅持原則，等於不接受政府權力可以完全支配人的生活，就可以解決上述的道德兩難，但實際上難題並沒有消失，只是轉嫁到一般人身上，所謂一般人就是指擔心得罪當權者，生計受損，為朋友製造麻煩，被政府打壓但得不到鎂光燈關注，也說不出亮麗的道德原則為自己護航的人。後極權主義之所以引誘到一般人主動配合監控，正因為可以減少麻煩，好讓自己可以安心在私人領域裡生活，不受干擾。

後極權主義利用人的孤獨

第三，《會面》整齣劇的情節由二人互相防備，向互相信任和倚賴推進。起初，釀酒大師和Ｖ先生的對話只停留在寒暄的層次，Ｖ先生一直拒絕理解釀酒大師的困境。但劇終二人互相擁抱，Ｖ先生終於願意理解一般人應對監控系統的態度，樂意和釀酒大

---

59 Ibid., 80.

師一起喝酒，並說出對方在劇初的台詞：「一切都搞砸了。」[60] 觀眾看到釀酒大師甘願配合當權者的監控，並不是因為存心支持後極權主義，而是因為想啤酒廠運作暢順，當叫V先生不要接觸某些朋友，其實是為了保護他，不想他再惹麻煩，最後請求V先生主動提供監控報告，只是希望有人可以幫助自己，不要得罪老同學，也可以保全啤酒廠全體同事的利益。說到底，釀酒大師和其他活在後極權主義下的普通人一樣，渴望有互相信任的朋友，被充分理解，而不是被孤立，獨自去面對不合理的壓迫。哈維爾沒有明確地告訴觀眾到底V先生會否真的配合監控，也沒有表明釀酒大師最終會否有麻煩，這個曖昧不明的結局或許暗示了活在後極權主義的人們，需要更大的耐性去體察他人為何不旗幟鮮明地反抗當權者，為何甘願配合監控。想深一層，表面上配合監控很可能是出於無奈，也可能是沒有人能夠和他們一起尋找另一種應對辦法。「知識分子」同樣需要反省，拒絕參與其中是否是對抗後極權主義的最佳方法？倘若自命清高，毫不察覺他人的難處，是否會令大家更孤獨無助地面對監控系統？對社會上不同位置的人缺乏聆聽和理解，是否更容易互相指責不夠積極對抗後極權主義，更難團結起來？

劇場批判時代精神

從《會面》可以看到，雖然哈維爾的劇作政治意味鮮明，但

---

60 Ibid., 84.

其思考的課題遠超一個特定時代的政治局勢，因此也未必能為當下的政治局勢提供具體的出路。他認為劇場的功能不是傳遞特定的政治立場或觀點，而是分析人的生存處境。後極權主義不是蘇聯共產黨奪權後的偶然現象，而是當代人類企圖以科技思維來控制文明的各個方面，政治、社會和文化等均變成可計算可操控的範圍，扼殺人的創造力。劇場裡的荒謬情節，就是用來警醒人類發現 20 世紀以來的時代問題，科技文化滲透生活各個面向，因為人們不再信賴「生活世界」（life-world）涵含的生命力和意義，對傳統價值、宗教、生活習慣和日常語言的穩定性失去信任。後極權主義在這個時代出現，利用高度人工化的語言炮製出「政治宣傳」來取代日常語言，用統一的意識形態來取代人們多元的思想，以高度科層化的行政體系來取代人與人的信任，簡言之，當權者用盡一切辦法去控制人類文明，想製造出令他們滿意的效果，其實是 20 世紀人類的普遍處境。因此，他認為當代劇場不是要提供娛樂，而是要呈現時代的弊病：

> 我覺得 20 世紀最重要的劇場現象，就是現代人總是身處「危機的狀態」（state of crisis）之中。即是說，人失去了形而上的確定性，接觸絕對的經驗，與永恆的關係，意義的感覺，或者說，失去了腳下的基礎。對現代人來說，一切分崩離析，其世界坍塌，他感到無可挽回地失去一切，但難以對自己承認，因而把這份失落隱藏起來。……荒謬劇場裡我最看重的東西，就是它能夠把握住「隨即發生的事情」（in the air）。[61]

　　經過漫長的戲劇創作生涯，哈維爾後來呼籲後極權主義下的人們要「活在真實之中」，也許不是簡單地指不再虛偽而要真誠地過活，而是認識眼前的真實由不少虛偽構成，當代人類的生存處境由科技文明控制一切的思維所籠罩，因此需要不斷和各式各樣的虛偽糾纏，努力開拓生活空間，讓人們真實的想法可以自由表達和交流。這個追尋真實的過程並非靠一個簡單的方法就可以成功，也不是靠任何一種意識形態就足夠，而是要不斷自我反省，不斷克服虛偽的誘惑。因此，要克服後極權主義，哈維爾認為需要「存活的革命」（existential revolution）。[62]

　　哈維爾自己一直在實踐「存活的革命」。早在1967年第四屆捷克作家大會上，聚集了不少熱愛藝術和自由的作家，批評捷克共產黨的統治，三十歲的哈維爾就已經主張作家必須追求真誠的表達。當時，捷克共產黨的高壓統治開始有放鬆的跡象，杜布切克尚未推動改革，哈維爾寫道：「如果作家一部分的專業在於他比其他人更加積極地對世界一再地發問和質疑，那就使得他必須比其他人更為努力，一而再再而三地贏得對世界的信心。如果這個世界用比他人更嚴苛的標準來衡量我們，這可算是一份榮譽，我們將不會用精神病或情緒的名義來平息或模糊它，最終這個世界會用冰冷而殘酷的態度來審問我們，我們說了什麼，我們做了什麼，我們做的事是否真的反映我們所說的話，抑或我們有權去

61　Václav Havel, *Disturbing the Peace: A Conversation with Karel Hvížďala*, trans. and intro. Paul Wilson, New York: Knopf, 1990, 53.

62　Havel, "The Power of the Powerless," 115.

說一些我們不會做的事。問題其實就是我們全部人是否能夠承擔我們說過的話的責任，我們是否真正毫無保留地為自己保證，用行動和持續不懈的努力來擔保我們的宣稱為真，即使出於良好的動機，也永不會在某個時刻被自己所困，不管因為我們的虛榮或恐懼。這不是為了要計算，而是為了真誠（authenticity）。」[63]

寫於 2022 年 2 月

---

[63] Address to the 4th Congress, in the 4th Congress of the Union of Czechoslovak Writers, Prague: Československý spisovatel, 1968.

[7] 六四文學與記憶的共同體

「時間，首先令我們變得踏實，然後令我們困惑。我們自以為變得成熟，其實只是懂得令自己安全。我們以為自己變得有責任感，其實只是懦弱。我們所謂面對現實，其實只是避免麻煩而不是面對問題。時間……只要給我們足夠的時間，我們自以為有理有節的抉擇，都會變得搖擺不定，自以為確定不移的事，不過是霎時衝動。」[64] 朱利安・巴恩斯（Julian Barnes）在《回憶的餘燼》（*The Sense of an Ending*）裡告訴人們，時間令記憶變得不確定。六四已經過了二十八年，有些人選擇老一套的方式悼念，另一些人選擇另一種方式來紀念。早在二十八年前，已經有作家為我們提供了想像的途徑，反思這場悲壯的民主運動。文學一直幫助我們收集記憶，重現歷史，形成記憶的共同體。

在逃亡中相遇

二十八年過去，回看高行健的劇作《逃亡》，仍然令人感慨兩代人對民主運動的不同看法。[65] 1989 年中共鎮壓天安門民主運

---

64 Julian Barnes, *The Sense of an Ending*, Toronto: Random House Canada, 2011, 87.
65 高行健，《逃亡》，台北：聯合文學，2001。

動後，《逃亡》很有可能是首個反思這場運動而在海外上演的華文戲劇。當年8月高行健在巴黎見到第一批離開中國的流亡分子，9月底開始寫作，一個月後完成。這個劇只有三個角色，兩名二十來歲從廣場逃出來的學生，避險時遇到一名四十多歲的中年人，他同樣在逃避搜捕。兩名學生在廣場上度過了許多跳舞、廣播和集會的日子，男學生堅信「不自由毋寧死」，人民最終會取得勝利，女學生則開始思索運動結束後的前路，想做回本行當個演員，最好能夠組織家庭。他們逃過了士兵的子彈，可是逃不過世故的中年人對他們的質疑。中年人是個作家，經歷過中共假人民之名幹下的政治運動，見證了最終受苦的還是人民，因而不再相信「人民」的名義。他質問男學生：「也不要說什麼最後的勝利，要是自由只帶來死亡，這自由無異於自殺！命都沒有了，那最後的勝利又有什麼意義？」中年人的政治熱情大概早就被文革埋葬了，失掉了學生的理想主義，深明中共不惜一切手段來維持政權。這麼多年過去，中年人的悲觀態度和學生的理想主義，誰更接近現實的考驗，相信大家心裡有數。

抗拒虛無主義

然而，高行健並沒有渲染虛無主義，教訓大學生一切反抗都是徒勞無功的，只需遵守後極權主義定下的規則，享受安穩的中產階級生活。劇裡，中年人同樣參加了民運，聯署各式各樣的公開信，他和學生的分別不在於是否反抗國家對人民自由的遏制，更不在於爭辯自由主義或社會主義更民主、更適合中國，而在於

他看重每一個人的思想自由，擺脫一切理論或主義給人的桎梏。顯然，中年人就是高行健的化身，反映了「沒有主義」的文藝觀，帶有逍遙無待的道家特色。中年人經歷過政治理想的幻滅，面對「一潭髒水」似的國家，於是看到每個人「心中只有那麼點幽光」。要守護每個人獨立的聲音一點也不容易，「總像在冥河中行走，陰風四面吹來，隨時都會熄滅。」劇中女學生的角色絕非花瓶，鮮明地表現出獨立的內心追求。她目睹廣場上的屠殺，驚魂未定，生死一線間，激發了她表露對生命的盼望。她無情地批評充當保護者的男生和奴化女人的男人，同時不諱言與鍾情的男人歡好的欲望，縱使害怕政治這潭「幽黑的死水」，仍然勇敢地闖進去。無獨有偶，婁燁的電影《頤和園》，以1989年北京的大學生為背景，女主角是北大中文系學生余虹，跟高行健筆下的女學生一樣，敢愛敢恨，民主運動尚未成功，她就首先解放了身體和情欲。

政治和情欲壓抑

在後極權社會裡，文學藝術中常見政治和情欲的壓抑，當政治令人窒息，情欲幾乎成了最坦誠和最自由的表達途徑。捷克作家伊凡・克里瑪（Ivan Klíma）在《愛情與垃圾》（*Love and Garbage*）和《我快樂的早晨》（*My Merry Mornings: Stories from Prague*）裡，描寫捷克布拉格之春後的日子，捷克共產黨的管治下，平凡的小人物，在婚姻內外有著強烈渴望被愛的感覺，於是在城市裡到處尋找隱蔽的角落，躲藏起來享受魚水之歡，後來他們想找回匆忙間親熱的暗處，卻遍尋不獲。在六四二十週年，流亡英國的作家馬建發

表了長篇小說《肉之土》（*Beijing Coma*），題材來自他在中國對六四
的見證，充分表現了 1989 年那一代年青人承受著政治和情欲的
雙重壓抑。《肉之土》的主人翁戴偉有過幾段戀情，高中時跟女
生偷嘗禁果，被要求寫檢討書。在廣州上大學讀醫科，他結識了
來自香港的女孩媚媚，二人在旅行期間租住賓館，本來可共赴巫
山，卻遭旅館店員提示要分房睡覺，以備公安查房。後來他們租
住公寓，二人同居，戀情卻沒有開花結果，因為中英聯合聲明簽
署，香港鐵定回歸中國，媚媚想到國外留學，家人又干預這段「中
港關係」，視大陸學歷沒有前途。大學畢業後，戴偉考上北大研
究生，認識了女生天衣，時常在宿舍八人大房裡翻雲覆雨，有天
到了圓明園以為可以放縱盡歡，不料遇上流氓勒索巨款，要脅呈
報公安。政權似乎連年青人最基本的欲望也漠視，戴偉一句話彷
彿道出了一個時代：「我要求的不多，就是讓我們在大學裡自由
戀愛就行了。」[66]

理想主義幻滅

可是，馬建的《肉之土》絕對沒有把 1989 年天安門民主運動，
簡化為年青人躁動不安的反叛故事。事實上，書中描述北大學生
關心國是，積極參與知識分子的座談，討論民主化的前路，在
廣場上協調各界支援，建立天安門民主大學等。當戴偉還在廣州
讀大學時，他和媚媚就代表著兩種典型，那個年代的中國大學生

---

66 馬建，《肉之土》，台北：允晨文化，2010。

對知識如飢似渴，精神分析、西方文學和科學理論的書，通通都貪婪地吞下去。香港學生媚媚反而從不看書，馬建藉此嘲諷香港人沒有文化，看不起落後的中國，最擅長過關時買免稅品轉手圖利。在小說重現的情景裡，我們大概體會到當年香港人廣泛支援天安門運動，代表了社會上稀有的理想主義，跟北京學生的熱血混在一起，衝破極度功利的社會表層，香港人幾乎從未如此團結地表達對民主的響往。也因為這種短暫而激烈的理想主義遭到極其粗暴的鎮壓，香港人六四的傷口一直未能癒合，記憶凍結在夢想幻滅的那一刻，90年代的學運低潮和紙醉金迷的過渡期，反映了理想挫敗後的虛無主義來襲。

記憶衝破虛無

《肉之土》或可視為對虛無主義的回應。戴偉搜索枯腸，不是為了再次成為歷史的主人，而是為了當歷史的見證人。廣場上的鎮壓，令戴偉受傷成了植物人，身體就凍結在六四那一刻。可是，在醫院裡聽見母親和朋友的話，他努力地追尋各段回憶，重新認識父母的生平——他們在美國出生，一個是小提琴手，一個是女高音，不料回國後遇上文革浩劫，被打成右派，終生鬱鬱不得志。他們那一代人彷彿完全是歷史的受害者，戴偉卻成長於改革開放的年代，得益於西方思潮湧入中國，80年代政府開始放鬆言論管制，這一代人勇於投身民運，期待急劇的改變，以為自己可以成為歷史的主人。然而，作為植物人的戴偉成了慘白的形象，多大的改革激情也無法再流露出來，反映了1989年那一代

年輕人遭受無情壓制，只能變成歷史的旁觀者，甚至成了國家穩定和經濟發展的犧牲品。當我們發現歷史的巨輪不能改變，我們是否輕易就否定一切行動的價值，嘲諷別人堅持的原則？戴偉的肉身癱瘓了，但是沒有停止收集記憶，他讓自己、父母和朋友的各段記憶交會，彷彿「時間在眼前重疊，過去如血網在肉裡伸展」。圍繞在他的床邊，不是種種對歷史的宣判，穩定壓倒一切或者人民終必勝利，而是彼此交錯的歷史見證，令他的身體得以活著，甚至重新動起來。

記憶的共同體

小說以一個頗為悲觀的問題作結：「離開這肉牢，你又能到哪裡……」也許我們能給予一種回答。當政府鼓吹人民避談鎮壓來裝飾其管治，喚醒共同的記憶就如同召喚許許多多受傷和放逐的靈魂，因承載了他人記憶而走在一起。我們應該看清楚，誰也不能離開歷史這座血煉的牢房，歷史不會轉身就成了天堂。《逃亡》裡，中年人並沒有對政治變得冷感，反而領悟到政治要求巨大的耐性：「小伙子，你不能忍受也得忍受，你得忍受失敗，你那種盲目的熱情在死亡面前無濟於事。」政治運動遭受挫敗後，激情消耗殆盡，只有堅韌的耐性可以令我們度過權力的追捕和逼害，明白到政治悲劇揭示的世界——人生不過是一場又一場的逃亡，不同世代的人們與其在逃亡中互相折磨，不如互相諒解。

活在香港，最獨特的是就算你不參加任何行動，社會都會有聲音不斷提醒你六四又一年了。新一代人沒有親身經歷過如此震

撼的時刻，固然不能怪責他們沒有感受。想深一層，前些年社會辯論當年天安門到底有沒有死過人、死了多少人，學生做得對還是不對，維園燭光晚會的形式是否過分行禮如儀等，這些其實都構成新一代年青人對六四的記憶，準確點說，是對他人的記憶的記憶，歷史本身就是持續地憶述和記錄事件。各種悼念和討論六四的事件，都是收集回來的記憶，各式各樣的記憶大抵構成了香港社會獨特的記憶共同體，跟中國、台灣和海外的華人社會有所不同。在這個共同體裡，人們不分籍貫和語言，甚至跨越世代的界限，互相訴說對六四的記憶，互相印證和批評，由此再引起更多的回憶和共鳴。莫里斯‧哈布瓦赫（Maurice Halbwachs）說得好，只有當人們共同憶述往事，回憶才會變得更加鮮活，不致日漸面目模糊，終至遺忘。記憶的共同體成員，不必然擁有一模一樣的記憶，他們分享著他人的回憶而連繫起來。文學正好豐富了回憶的世界，一切反省和批評在某個程度上，也令共同體更具歷史的厚度。來到 2021 年，當權者終於要令六四集會在香港徹底消失。但是只要記憶的共同體能繼續留存下去，就不用擔心人們對歷史罪行變得麻木，正如朱利安‧巴恩斯寫道，回憶「有所累積，就有責任，在此之外，有所不安，極大的不安。」[67]

寫於 2017 年 6 月 4 日

2022 年 2 月修改

---

67 Barnes, *The Sense of an Ending*, 142.

[8] 南希的民主共同體

　　前幾年比較多時間在巴黎，偶然會去聽南希（Jean-Luc Nancy, 1940-2021）的講座。印象中，有一次遲到了五分鐘，已經擠不進教室，結果和二、三十人塞在門口聽完他的講座。另一次，是一個較大的演講廳，我特意提早十五分鐘到場，終於找到座位。講座甫開始，發現地板上都坐滿了人，有年青人、學生和學者，亦有西裝筆挺的中產階級和滿頭白髮的老人。那次講座圍繞海德格「著名」的《黑色筆記本》（*Schwarze Hefte*），當中海德格流露清楚的反猶主張，合理化納粹壓迫猶太人，飽受後世批評。當年，南希已屆七十，說話緩慢，但仍然馬上閱讀最新出版的《黑色筆記本》，講座後來出版成《海德格的浮淺之處》（*La banalité de Heidegger*）。南希開宗名義就說，書名來自漢娜・鄂蘭的說法。鄂蘭用banalité一字不是形容一個人品味或智力平庸，而是形容邪惡，簡單來說，指人思考停留於表面，無法作出基於事實或理據的判斷，無論別人怎樣解釋，都無法深入理解事情的核心，因而難以明白為何人批評某些行為邪惡，最終自己行惡而不自知。品味平庸從眾可以無傷大雅，但思想浮淺卻可以助長頑固的無知，視他人的意見如無物。南希形容海格德的哲學「浮淺」，正是批評他的哲學夾雜了19至20世紀初歐洲人對猶太民族的偏見，對科

技有著非理性的懷疑，對陰謀論的執迷，其哲學缺乏批判社會文化的視野。

批判血緣的共同體

然後，海德格哲學是否可以就此掃入故紙堆呢？很多人覺得法國哲學家比起德國哲學家時常顯得言詞激進，政治立場鮮明，少有耐性細緻分析文本。但這些形容肯定不能落在南希身上。在他畢生的研究裡，特別是1980年代起，寫下許多書籍分析海德格的文本和思想，甚至我們可以說，南希的社會政治哲學，其「共同體」（communauté）的概念來自解讀、批判和發展海德格哲學。也許我們中文比較少用共同體一語，社會一語比較常用，例如社會問題或社會氣氛。南希特別標舉「共同體」有其歷史原因。從19世紀到20世紀初的德國，Volksgemeinschaft一字逐步被用來形容德國人民的共同體，擁有共同的來源和文化，大家都是平等相待的國民。直至納粹德國統治期間，政治宣傳進一步利用Volksgemeinschaft來形容德國人民屬於共同的血緣種族，有共同的政治信念和歷史命運。南希和其好友拉古－拉巴特（Philippe Lacoue-Labarthe）認為，海德格在其重要著作《存有與時間》（Sein und Zeit）裡亦襲用了這種流行想法，對納粹的政治暴力沒有加以澄清和批判。

沒有共通點的共同體

南希認為，這種建基於血緣種族的「共同體」並不是我們實

際經驗到的人與人的關係，遠離真實的「社會」或「大家」的經驗。因此，他提倡另一種「共同體」的意思，不再是建基於血緣種族，不具有「同一性」（identité），即是一個社會裡的成員都不必然具有共同點。試想一下，平日大家與人交往很少以血緣種族為前提，甚至不計較同一文化、宗教或語言，只要真誠溝通就可以做朋友。當我們覺得說同一種語言的人有親切感，或跟同樣膚色的人交往比較熟悉，少些誤會或衝突，這是人之常情。南希提醒我們，我們這樣想其實是在追求共通點，同時也容易忽視各自的獨特性，正正是各人的差別才是和他人交往時特別需要處理，陌生感引起的衝突或敵意是每個社會都要面對的難題，不應隨便以「同文同種」來掩蓋。同一個民族、國家、文化和夢想等，都是政治家的修辭，施加在我們最基本的生活經驗之上，企圖鞏固權力，排斥異己，而我們則受這些單一身分（identité）所局限，因而覺得某些人不屬於我們，不屬於這個「共同體」，因為他們跟我們沒有相同的特徵，所以我們可以合理化對他們種種排斥和暴力。南希同意其他政治哲學家如奈格里（Toni Negri）和巴里巴爾（Etienne Balibar）的觀察，看到資本主義不斷為共同體設下各種界限，為了經濟利益和權力不斷納入一些人而拒斥另一些人，限制我們互相分享，把共同體打造成一個劃分敵我的帝國。

多元而獨特的存在

南希在1986年的《去作品化的共同體》（*La Communauté désœuvrée*，又譯作《解構的共同體》），就開始批判和改造海德格的「共

在」（Mitsein）概念，他翻成法文 l'être-avec。[68]一方面，南希認為「共在」描述了我們最基本的經驗，我和他人、事物和世界共在。也就是說，人的每一個行動，說的每一句話，都必然牽涉其他人或事物，或指涉某個意義的世界，沒有所謂單一獨存的主體。另一方面，南希進一步擴充「共在」的含義，「共在」不是說人們都有共通之處，事實上，我不會和任何一個人或物件相同。不論膚色、宗教或文化同與不同，人們共同存在就是不可掩蓋的事實。由「共在」經驗來理解「共同體」，就會發現「共同體」本身並不是一件「作品」，不是某個偉大歷史人物設計了今天這個社會，社會本身也不具有特定的結構或層級在內，例如某種社會階級、性別優越地位或知識能力的高下等（這些都是特別的社會制度造成的）。去作品化的共同體指人與人單純的相遇，彼此沒有共通之處，但共同存在。因此，共同體的基本倫理就是要尊重各有獨特性的人共同存在，不應強逼單一化，遏制獨特性。

在 1996 年的《多元而獨特的存在》（*Être singulier pluriel*），南希進一步把「共在」視為多元性（pluralité），人的肉身和其他肉身共在，有生命的或無生命的物體共在。每個肉身都向對方展露（exposition），彼此構成的世界是分隔和分享的空間，在展露的過程裡，無人可以完全控制自己呈現為什麼模樣。因此，共同體必然牽涉向不由自主、不可計算的未來而敞開。南希所謂的多元不等同歐美社會一般所講的多元文化主義，因為尊重多元文化可以變成社

68　Jean-Luc Nancy, *La Communauté désœuvrée*, Paris: Bourgois, 2004.

群主義（communautarisme），相同語言、膚色或宗教的人可以躲在自己人的封閉社區裡，沒有意欲和其他人交流，也就不會向他人展露自己，這樣只會形成封閉的社群，而非開放的共同體。由此可見，南希把海德格哲學改造成基進政治的哲學，把海德格高舉的存在問題（Seinsfrage）解讀為人類共在所展現的各種意義，不再強調所謂單純的存在（Sein）意義，也使用任何傳理論的概念，如單一或多樣性，創造者或受造物，存在（être）與存在者（étant）等二分來解釋存在。海德格說人的存在就是存活（existence）的各種可能，南希則說得更具體直接，存在就是「與共」（avec），人與其他人和事物交互輝映的各種姿態，藝術文化、政治、宗教等都展現了存在的意義，哲學就是要深入這些現象的肌理，分析其意義。

跨界的哲學思路

在此，我們看到南希哲學的跨界開放性，哲學不再局限於形上學知識論等傳統範疇，更關心文學、電影、繪畫和舞蹈等，因為這些活動都呈現出共在的意義。南希跟他的同代人洪席耶和布迪厄（Alain Badiou）等，跟上一代李歐塔（Jean-François Lyotard）和德勒茲（Gilles Deleuze）等哲學家有一點相似，就是把20世紀法國哲學帶到跨界的經驗上，一改19世紀德國哲學的學院濃厚的面貌。南希的實踐反映了他的信念，「哲學完全不是知識層面的事，而是用文字加諸我們所經歷之事。……思想的任務就是重新開啟、喚醒、堅定地重述意義的無限性。……哲學就在意思中斷之處開始。」共同體就是分享，而現實生活中充滿阻隔和中斷，沒有一

次分享或交流可以完全分享所有的意義，但這不是缺陷，因為南希認為「我們永遠都不是自身經驗的主體，而是由經驗引發新的主體。」南希早期的作品比較重學院味，但近二十年的作品相當接近大眾。由於他經常出席媒體訪談，討論大眾關心的哲學問題，所以撰寫了很多短篇作品。在此可以推薦大家兩本易讀的作品，作為認識南希的入門，《上帝、公義、愛與美麗：四次對話》（*God, Justice, Love, Beauty: Four Little Dialogues*）和《民主的真相》（*The Truth of Democracy*）。[69]

民主要抵抗權威

在法國的媒體，哲學家發表短文並不罕見，《民主的真相》就是南希的一本時事評論集。2008年法國到處都在紀念1968大規模社會運動學生運動40周年，期間法國社會經歷了劇烈的變動，很多人都在談論1968年的遺產。南希的想法有點與眾不同。他認為1968年的遺產不是烏托邦主義，亦不是反威權（很多人都會覺得出六八一代人反對戴高樂的保守權威）。他認為1968年的人民力量源自失望，戰後經濟起飛，但人們並沒有變得更自由，戰爭聲稱在歐洲完結了，但在別處仍然持續。抗議的聲音裡雖然出現社會主義和共產主義等旗幟，但其實大部分人根本意不在爭取當時蘇聯或中國那種共產主義國家。南希主張當時的抗爭

---

69 Jean-Luc Nancy, *God, Justice, Love, Beauty : Four Little Dialogues*, trans. by Sarah Clift, New York: Fordham University Press, 2011. Jean-Luc Nancy, *The Truth of Democracy*, trans. by Pascale-Anne Brault and Michael Naas, New York: Fordham University Press, 2010.

其實表達了對另一種潛在可能的生活方式的渴望，他們不滿當前的社會體制而想建立另一種民主的社會，可說是抗拒固定身分認同（identification）的行動。由此他進一步推論，民主並不是固定的社會形態，民主社會總是會不斷尋求改變其生活和權力分配的方式，而且難免會不斷出錯，再不斷糾正自己。因此，民主社會有賴不斷重新創造「共同體」的行動，抗拒宗教、科學、美學，甚至政治強加給我們的秩序，以為不可改變的秩序就是最理想的生活。也就是說，民主社會不等於選舉或三權分立的政制，不等於政府可以告訴我們哪些娛樂圈偶像是健康的，不等於社會菁英或宗教領袖統治大眾，而是要抵抗上述控制我們生活的秩序。民主就是要肯定「人可以超越自己」，人們可以改變共同生活的方式，所以民主不是謀求共識，建立穩定的社會秩序，而是努力尋找共同生活的方式，使多元的生活方式可以共存共生。

　　　　　　　　　　　　　　寫於 2021 年 8 月 29 日
　　　　　　　　　　　　　　2022 年 2 月修改

左岸政治　345

我城存歿 強權之下思索自由

作　　　者	張燦輝
攝影篆刻	張燦輝
附錄撰文	劉況　大埔山人
總 編 輯	黃秀如
責任編輯	劉佳奇
行銷企劃	蔡竣宇
美術設計	黃暐鵬

社　　　長	郭重興
發行人暨 出版總監	曾大福
出　　　版	左岸文化／遠足文化事業股份有限公司
發　　　行	遠足文化事業股份有限公司
	231 新北市新店區民權路108-2號9樓
電　　　話	(02) 2218-1417
傳　　　真	(02) 2218-8057
客服專線	0800-221-029
E - M a i l	rivegauche2002@gmail.com
臉書專頁	facebook.com/RiveGauchePublishingHouse
團購專線	讀書共和國業務部 02-22181417 分機 1124、1135
法律顧問	華洋法律事務所　蘇文生律師
印　　　刷	呈靖彩藝有限公司
初版一刷	2022年7月1日

定　　　價	450元
I S B N	978-626-96095-8-1（平裝）
	978-626-96246-0-7（EPUB）
	978-626-96095-9-8（PDF）

我城存歿：強權之下思索自由／張燦輝著.
－初版.－新北市：左岸文化出版：
遠足文化事業股份有限公司發行，2022.07
　面；　公分.－(左岸政治；345)
ISBN 978-626-96095-8-1（平裝）
1.CST: 言論集 2.CST: 香港問題
078　　　　　　　　　　111009040